Otra vuelta de tuerca

Otra vuelta de tuerca

Henry James

Grupo Editorial Tomo, S. A. de C. V.
Nicolás San Juan 1043
03100 México, D. F.

1a. edición, agosto, 2002.

© *Turn of the Screw*
Henry James
Traducción: Roberto Mares

© 2002, Grupo Editorial Tomo, S.A. de C.V.
Nicolás San Juan 1043, Col. Del Valle
03100 México, D.F.
Tels. 5575-6615, 5575-8701 y 5575-0186
Fax. 5575-6695
http://www.grupotomo.com.mx
ISBN: 970-666-576-5
Miembro de la Cámara Nacional
de la Industria Editorial No. 2961

Diseño de Portada: Trilce Romero
Supervisor de producción: Leonardo Figueroa

Índice

*L*a historia nos había mantenido sin aliento, escuchando alrededor del fuego, pero aparte de la obvia observación de que era una historia terrible, como tiene que ser todo relato excéntrico contado junto el fuego en una vieja casona la noche de Navidad, no recuerdo que se hiciera ningún otro comentario hasta que alguien señaló que aquel era el único caso que había conocido en que un espectro de esas características se había presentado delante de un niño. Ahora es prudente mencionar que el caso en cuestión era el de una aparición que había ocurrido en una casa tan vieja como aquella en la que nos habíamos reunido en esa ocasión; y había sido una aparición espantosa frente a un niño pequeño que dormía en la habitación con su madre. El niño gritó aterrado; pero ella, al despertarse, no pudo consolarlo ni disipar sus temores para que volviera a dormirse, sino que ella misma se encontró con la visión que lo había hecho entrar en pánico. Fue esta observación la que despertó en Douglas —no inmediatamente, sino más tarde aquella misma noche— una idea que resulta tan interesante que merece toda nuestra atención. Alguien contó otra historia, no particularmente efectiva, y en esos momentos observé que él no estaba escuchando. Tomé esta actitud como un signo de que él también tenía algo que contar, y que lo único que debíamos hacer era esperar. Esperamos hasta dos noches para que se hiciera realidad aquella idea; pero esa misma noche, antes de que nos retirásemos, él me dijo lo que tenía en mente.

—Estoy completamente de acuerdo en que el fantasma de Griffin, o lo que fuera, al aparecerse en primer lugar a un niño de tierna edad resulta especialmente interesante; pero no es el primer caso que conozco en que algo tan excitante le ocurre a un niño. Si el hecho de que se trate de un niño le da al asunto otra vuelta de tuerca, ¿qué dirían ustedes de dos niños?

—Pues diríamos, por supuesto —dijo alguien—, que dos niños significan ¡dos vueltas de tuerca!, y que nos gustaría mucho saber acerca de ellos.

Puedo ver a Douglas ahí, delante del fuego, al que se había acercado para darle la espalda, mirando a su interlocutor con las manos en los bolsillos.

—Con excepción de mí, hasta ahora nadie ha sabido nada al respecto. Es demasiado terrorífico. —Naturalmente, esto hizo que varias personas declarasen que eso lo volvía más interesante, y entonces nuestro amigo, con una serena destreza, preparó su intervención paseando su mirada sobre el resto de nosotros y dijo—: Está más allá de toda imaginación, nada de lo que conozco lo iguala.

—¿Por su puro terror?—recuerdo que le pregunté.

Creo que respondió que no era tan sencillo, que en realidad no sabría cómo calificarlo. Se pasó la mano por los ojos e hizo una pequeña mueca.

—¡Por su espantoso..., espanto!

—¡Ah, qué deliciosa expresión! —exclamó una de las mujeres.

Él no prestó atención al comentario y me miró a mí, pero como si en realidad estuviese mirando aquello de lo que hablaba.

—Por su misteriosa sordidez general, por su horror y sufrimiento.

—Bueno —dije—, entonces siéntate y empieza a narrarnos tu historia.

Se volvió hacia el fuego, dio un puntapié a un tronco, lo contempló un instante, y luego nos miró de nuevo.

—No puedo empezar. Tengo que pedir que me lo manden de la ciudad —hubo un gruñido unánime ante eso, y los reproches no se hicieron esperar; tras lo cual, a su preocupada manera, explicó—: La historia está escrita. El texto se encuentra en un cajón que ha estado cerrado por..., por años. Podría escribirle a mi criado y mandarle la llave, y él podría enviarme el paquete apenas lo encuentre.

Era a mí en particular hacia quien él parecía estar proponiendo aquello; casi parecía como si me estuviera pidiendo ayuda para no vacilar. Había roto la capa de hielo que se había formado a lo largo de más de un invierno, aunque había tenido razones para un silencio tan largo. Los otros protestaron ante el retraso, pero fue precisamente esa protesta lo que tanto me agradó. Así que le pedí que por favor enviara la carta con el primer correo y nos leyera la historia lo antes posible; luego le pregunté si la experiencia en cuestión la había vivido él personalmente. Su respuesta fue inmediata:

—¡Oh, no, gracias a Dios!

—¿Y ese relato que tiene, usted mismo lo escribió?

—Sólo algunas impresiones generales. Lo tengo anotado *aquí* —se dio unos golpecitos en el corazón—. Nunca lo he perdido.

—Entonces, ¿su manuscrito...?

—Está escrito con una tinta descolorida y por la más hermosa de las manos —removió de nuevo el fuego—. Es el texto de una mujer que lleva veinte años muerta. Ella me envió el original antes de morir —ahora todo el mundo escuchaba, y por supuesto hubo alguien que quiso pasarse de listo, o en cualquier caso sacar conclusiones. Pero si bien respondió sin ninguna sonrisa, tampoco se le notaba irritación alguna—. Era la más encantadora de las personas, pero tenía diez años más que yo. Ella era la institutriz de mi hermana —dijo con suavidad—. Era la mujer más agradable y más eficaz que he conocido en su puesto, hubiera sido digna de ocupar cualquier otro. Eso fue hace tiempo; pero el episodio ocurrió mucho antes. Yo estaba en el Trinity y la encontré en mi casa al regreso del segundo verano, y en esa ocasión pasé mucho tiempo ahí; fue un espléndido año; recuerdo que en sus horas libres dábamos algunos paseos por el jardín y conversábamos ampliamente, y en esas charlas se me reveló como una persona muy inteligente y agradable. Oh, sí, no me apena decir que me gustaba muchísimo, y hoy en día todavía me alegra pensar que yo también le gustaba a ella. De no ser así no me hubiera contado aquello, pues nunca se lo contó a nadie. Yo sabía con certeza que nunca lo había hecho; estaba seguro de ello, como si lo estuviera viendo; cuando me escuchen sabrán por qué.

—¿Será porque el asunto era en verdad espantoso?

Siguió con la mirada clavada en mí.

—Podrá juzgarlo fácilmente —repitió—; seguramente lo hará.

Yo le devolví la mirada.

—Entiendo bien, estaba enamorada.

Él rió por primera vez.

—¡Vaya que es usted listo! Sí, estaba enamorada. Bueno, por lo menos lo había estado. Aquello surgió de manera natural; no hubiera podido contarme la historia sin que hubiera pasado. Lo vi, y ella vio que yo lo veía, pero ninguno de los dos lo mencionó. Recuerdo el momento y el lugar: un rincón en el césped, la sombra de los árboles y aquella larga y cálida tarde de verano. No era una escena para estremecerse; pero, ¡oh!... —se apartó del fuego y dejó caer la silla.

—¿Recibirá el paquete el jueves por la mañana? —pregunté.

—Es muy probable; pero en el segundo correo.

—Bien, entonces, después de cenar...

—¿Se reunirán todos aquí conmigo? —Nos miró de nuevo uno a uno—. ¿Se marchará alguien? —Había casi un tono de esperanza en su voz.

—No, ¡todo el mundo se quedará!

—*Yo* me quedaré... ¡y *yo*! —exclamaron dos damas que ya habían anunciado su partida.

La señora Griffin, sin embargo, expresó la necesidad de un poco más de claridad en el asunto:

—¿De quién estaba enamorada?

—Esperemos, la historia lo dirá —me apresuré a responder.

—¡Oh, no puedo esperar oírla!

—La historia *no* lo dirá —señaló Douglas—, al menos no en un sentido literal, vulgar.

—Lástima entonces. Esa era la única forma en que podría comprenderlo.

—Pero, ¿no lo dirá usted mismo, Douglas? —preguntó alguien.

Entonces él volvió a incorporarse.

—Sí..., pero mañana. Ahora debo irme a la cama. Buenas noches. —Y tomando con rapidez una vela, salió de la sala, dejándonos ligeramente confusos. Desde donde nos encontrábamos, oímos sus pasos en la escalera; luego dijo la señora Griffin.

—Bueno, no sé de quien estaba enamorada ella, pero sí sé de quien lo estaba él.

—Pero ella era diez años mayor que él —dijo su esposo.

—*Raison de plus*..., ¡a esa edad!. Pero no deja de ser encantadora esta larga reticencia.

—¡Cuarenta años! —intervino Griffin.

—Con ese arrebato final.

—El arrebato —indiqué— nos proporcionará una buena ocasión el jueves por la noche —. Y todos estuvieron de acuerdo conmigo de que a la luz de todo aquello habíamos perdido interés en otras cosas. La última historia, aunque incompleta y con el aspecto de un simple inicio de un serial, ya estaba contada; nos despedimos unos a otros, "tomando las velas", como dijo alguien, y nos fuimos a la cama.

Al día siguiente supe que, con el primer correo, había salido una carta, incluyendo la llave, con rumbo a sus apartamentos en Londres, pero a pesar de (o tal vez debido) a la eventual difusión de esta noticia, lo dejamos tranquilo hasta mitad de la cena, de hecho hasta esa hora de la noche que parece ser la más apropiada para expresar las emociones en las que centrábamos nuestras esperanzas. En esa ocasión él se mostró tan comunicativo como podíamos desear, y de hecho también nos dijo sus razones para ello. La conversación se llevó a cabo otra vez en el salón, junto al fuego, justo donde la noche anterior nos había hecho partícipes de otras suaves maravillas. Al parecer, la narración que había prometido leernos, requería de algunas palabras a manera de prólogo. Déjenme decir aquí claramente, para terminar, que esta narración había sido tomada de una transcripción exacta hecha por mí mucho tiempo después, y ésa es la que voy a presentar. El pobre Douglas, antes de su muerte, y cuando ésta ya parecía inminente, me confió el manuscrito que le llegó en aquellos días a la vieja casona, y que él leyó delante de nuestro pequeño y silencioso grupo. Algunas de las damas no podían quedarse (¡gracias al cielo!), pues habían adquirido ciertos compromisos con anterioridad; así que se marcharon, pero con gran curiosidad, como confesaron, pues se encontraban intrigadas por los detalles que se nos habían adelantado a todos. Pero eso sólo provocó que el pequeño círculo final de oyentes reunido en derredor de la chimenea, sometido a un estremecimiento común, fuera más compacto y selecto.

El primero de esos detalles daba a entender que la declaración escrita se iniciaba en un punto en el que, en cierta manera, los acontecimientos ya se había iniciado; y por ese motivo era preciso saber que aquella vieja amiga, la más joven de las hijas de un pobre párroco rural, se había ido a Londres a los veinte años, nerviosa y tímida, para servir por vez primera como institutriz, en respuesta a un anuncio. La persona que iba a ser su patrón resultó ser, cuando se presentó para la entrevista en una casa de Harley Street —que la impresionó por lo grande e imponente—, un caballero soltero y en la flor de la edad, una figura de hombre como nunca se le había aparecido delante, excepto en un sueño o en alguna vieja novela; entonces se presentó ante él como una ruborizada y ansiosa muchacha salida de una vicaría en Hampshire. Uno puede imaginar fácilmente el tipo, pues es de esos que, afortunadamente, nunca dejarán de existir. Era un hombre apuesto, decidido y agradable, dotado de una cierta despreocupación, alegría y simpatía. Era inevitable que impresionara a la muchacha como alguien espléndidamente galante; pero lo que más la emocionó, y le dio el valor para demostrarlo más tarde, fue que él le planteó todo el asunto como un favor, como si él se sintiera agradecido al contar con sus servicios. Ella lo percibió como una persona rica, aunque un tanto extravagante, lo vio rodeado por un halo de elegancia, de buenas maneras, de costumbres sofisticadas, y sobre todo de un trato encantador con las mujeres. Su residencia en la ciudad era una gran casa llena de recuerdos de viajes y trofeos de caza; pero no era allí donde ella debía realizar su trabajo, sino en una mansión campestre que era propiedad de la familia y que se encontraba en Essex, a donde debía trasladarse inmediatamente.

Él había sido nombrado, a la muerte de sus padres en la India, tutor de dos pequeños sobrinos, un niño y una niña, ambos hijos de un hermano menor que había sido militar y había muerto dos años atrás. Esos niños eran, por una extraña casualidad para un hombre de su posición —un hombre solo, sin experiencia en la educación de los niños, y sobre todo sin la paciencia para ello—, una inmensa carga para él. Aquel encargo había representado una gran preocupación, e indudablemente había cometido una serie de errores, pero sentía una gran compasión hacia aquellos pobres niños, y había hecho todo lo que estaba en sus manos para que estuvieran bien en todo sentido; en particular los había enviado a su otra casa, considerando que el mejor lugar para los niños era por supuesto el campo, y los había puesto ahí en manos de la mejor gente que pudo encontrar, desprendiéndose incluso de sus propios sirvientes y yendo él mismo, cuando le era posible, a comprobar cómo marchaban las cosas. Lo malo era que los niños prácticamente no tenían otros familiares más que él, y que a él sus propios asuntos le ocupaban todo el tiempo. Por esa razón los había llevado a vivir a su propiedad de Bly, que era un lugar sano y seguro, y había puesto a cargo de la residencia, aunque solamente como ama de llaves, a una mujer excelente, la señora Grose, de la que estaba seguro que su visitante le gustaría, y que anteriormente había sido doncella de su madre. Además de ama de llaves ella actuaba también, por el momento, como cuidadora de la niña, hacia la que, no teniendo hijos propios, sentía un gran cariño. Había mucha gente para ayudar; pero por supuesto, la joven dama que sería la institutriz, tendría que representar la más alta autoridad de la casa. Ella también tendría que ocuparse del niño durante las vacaciones, pues él se encontraba en una escuela, a pesar de que para las normas del momento, él era muy chico para estar de interno; pero, ¿qué otra cosa podía hacer? Puesto que las vacaciones estaban a punto de comenzar, y en la casa esperaban al niño de un momento a otro. Primero los niños habían estado a cargo de una señorita, pero tuvieron la desgracia de perderla. Aquella institutriz se había portado maravillosamente con ellos —era una persona de lo más respetable—, hasta su muerte, cuyas circunstancias repentinas e inesperadas no habían dejado más alternativa que la escuela de internado para el pequeño Miles. La señora Grose, desde entonces, había hecho todo lo que había podido por Flora, la niña; además de que en la casa se contaba con un jardinero, un cocinero, una criada, una doncella, un viejo pony y un viejo mozo de cuadra, todos ellos absolutamente respetables.

Apenas Douglas nos hubo presentado este cuadro de la historia, alguien preguntó:

—¿Y de qué murió la primera institutriz? ¿De exceso de respetabilidad?

La respuesta de nuestro amigo fue inmediata:

—Ya llegaremos a ello, no nos anticipemos.

—Perdón..., pensé que era precisamente eso lo que usted estaba haciendo.

—En el lugar de su sucesora —sugerí—, lo que a mí me hubiera gustado saber es si el trabajo llevaba consigo...

—¿Un peligro para la vida? —completó Douglas—. Pues la verdad es que ella deseaba saberlo y lo supo. Por el momento, por supuesto, las perspectivas le parecieron más bien desalentadoras. Hay que comprender que era joven, inexperta, nerviosa; se enfrentaba a serias obligaciones y poca compañía, a una gran soledad. Dudó, se tomó un par de días para consultar y considerar los pros y los contras. Pero el salario ofrecido excedía con mucho sus modestas aspiraciones, y en una segunda entrevista hizo frente a todas las posibles consecuencias y aceptó —y en esto Douglas hizo una pausa, que, en beneficio de la concurrencia, me animó a decir:

—Y la moraleja es, por supuesto, que la seducción ejercida por aquél magnífico joven finalmente triunfó, ella sucumbió a sus encantos.

Douglas se puso de pie y, como había hecho la noche anterior, fue hasta el fuego, agitó un tronco con el pie, y luego permaneció unos momentos de espaldas a nosotros.

—Ella lo había visto solamente dos veces.

—Sí, pero esa es precisamente la belleza que despierta la pasión.

Un poco para mi sorpresa, Douglas se volvió y me miró fijamente.

—Fue la belleza de la extraña situación —siguió diciendo—. Hubieron otras que no sucumbieron. Él le contó con franqueza todas sus dificultades, lo que para otras aspirantes resultaban demasiado inquietantes; simplemente tuvieron miedo. Todo sonaba tan extraño; sobre todo la primera y principal condición.

—¿Cuál era?

—Que ella nunca debería molestarlo..., nunca, por ningún motivo. No debía acudir a él, ni quejarse de nada, ya fuera personalmente o por carta; ella misma debería enfrentarse a todos los problemas y resolverlos; recibiría el dinero del abogado y eso era suficiente para hacerse cargo de todo y dejarlo tranquilo. Ella estuvo de acuerdo con esa condición y prometió actuar de esa manera. Ella me contó que en el momento en que había aceptado todo, él se mostró muy aliviado, y le dio las gracias muy efusivamente, con lo que ella se sintió ampliamente gratificada.

—¿Y esa fue toda su recompensa? —preguntó una de las damas.

—Nunca volvió a verlo.

—¡Oh! —exclamó la dama, y esa fue la única palabra significativa sobre ese asunto que se pronunció, hasta que, la noche siguiente, sentado en el mejor sillón junto al fuego, abrió la descolorida tapa roja de un delgado álbum de cantos dorados pasado de moda. Todo el asunto nos llevó más de una noche, por supuesto; pero en la primera ocasión la misma dama hizo otra pregunta:

—¿Qué título le ha dado a la historia?

—No le he dado ninguno.

—¡Oh, yo sí! —dije. Pero Douglas, sin hacerme el menor caso, había comenzado ya a leer con una claridad tan espléndida que era como si nuestros oídos se regalaran con la belleza de la mano de su autora.

I

*R*ecuerdo el principio de todo aquello como una sucesión de altibajos, un ir y venir de esperanzas y miedos. Tras la excitación en la ciudad, después de aceptar el cargo, pasé un par de días muy malos, pues descubrí que toda mis dudas surgían de nuevo y casi llegué a estar convencida de que había cometido un error. En ese mismo estado mental pasé las largas horas de sacudidas y bamboleos de la diligencia que me llevó a la parada en la que acudiría a mi encuentro un vehículo de la casa. Todo se encontraba ya previsto, y efectivamente, a finales de aquella tarde de junio, encontré un cómodo y espacioso carruaje esperándome. En aquella hora del día resultaba encantador viajar por la campiña, todo parecía darme una calurosa bienvenida en medio de la dulzura del verano, lo que hizo que reviviera mi confianza, y cuando giramos hacia el camino que conducía a la casa, sentí una exaltación que probablemente no era sino una prueba del punto hasta el que había llegado a hundirme. Supongo que en el fondo había esperado, o había temido algo tan deprimente, que mi sorpresa fue muy agradable. La casa era muy grande y la fachada se sentía alegre; sus ventanas abiertas con las cortinas de vivos colores y las doncellas que miraban curiosas por ellas. Recuerdo el césped, las brillantes flores, y el crujir de las ruedas sobre la grava y las densas copas de los árboles sobre las que graznaban los cuervos y trazaban círculos en el dorado cielo. La escena tenía esa grandeza que la convertía en algo distinto a mi modesto hogar. Al llegar yo, de inmediato apareció en la puerta una persona muy educada que llevaba una niña de la mano; ella me hizo una reverencia como si fuera yo la dueña de la casa o una visitante distinguida. En Harley Street había recibido una impresión algo menos lujosa del lugar, y eso, cuando lo recordé, me hizo pensar que su propietario era un caballero mucho más distinguido de lo que me había imaginado, y me sugirió que iba a disfrutar del lugar mucho más de lo prometido.

No volví a sentir una baja de ánimo sino hasta el día siguiente, porque después de ser presentada a la más pequeña de mis discípulos, los días pasaron volando con una sensación de agrado. La niñita que acompañaba a la señora Grose me impresionó desde el primer momento, me pareció una personita demasiado encantadora como para no considerar una gran suerte el tratar con ella. Era la niña más hermosa que jamás hubiera visto, y más tarde me pregunté por qué mi patrón no me hubiera hablado un poco más de ella. Aquella noche dormí poco; estaba demasiado excitada, y el hecho de no poder dormir también me sorprendió un poco, todas las experiencias del día andaban por mi cabeza reforzando aquella sensación de liberalidad con la que era tratada. La inmensa habitación, una de las mejores de la casa, la majestuosa cama, las cortinas con sus dibujos, los grandes espejos en los que podía verme por primera vez de pies a cabeza, todo ello me impresionaba gratamente, además del maravilloso atractivo de mi pequeña pupila, y todo lo que se me estaba dando por añadidura. Y otra cosa que me agradó mucho desde el primer momento fue lo bien que congeniábamos la señora Grose y yo. Ese asunto me había preocupado durante todo el trayecto en el coche. De hecho, lo que hubiera debido hacerme pensar acerca de esa primera impresión era el que se hubiese alegrado tanto con mi presencia. Todavía no había transcurrido ni media hora cuando tuve la impresión de que aquella mujer recia y franca, se alegraba tanto de verme que de hecho tenía que hacer un esfuerzo para que no se le notara demasiado. Entonces yo llegué a preguntarme por qué debía esforzarse en evitar que se le notara esa satisfacción de tenerme en casa, y eso, tras reflexionar un poco, en realidad hubiera debido intranquilizarme.

Pero era un consuelo que no hubiera ninguna preocupación respecto a algo con una imagen tan beatífica y tan radiante como la de mi niña, cuya angélica belleza, más que ninguna otra cosa, tenía probablemente que ver con la inquietud que, antes de la mañana, me hizo levantarme varias veces para pasear por mi habitación y tratarme de hacer una idea más completa de todo lo que me estaba pasando, para observar desde mi ventana la naciente claridad del amanecer de verano, para contemplar todo lo que podía ver del resto de la casa y para escuchar, cuando los primeros pájaros descubrieron la inminencia del día, la posible repetición de uno o dos sonidos, menos naturales, y no afuera, sino dentro de la casa, que oí o creí escuchar. En algún momento me pareció oír, débil y lejano, el llanto de un niño, y después creí escucharlo cerca de mi puerta; pero ninguna de esas impresiones fue lo bastante fuerte como para tenerlas en cuenta, y es sólo a la luz, o más bien debería decir a la oscuridad, de otros acontecimientos posteriores que ahora vienen a mi mente con un sentido. Vigilar, enseñar, "formar" a la pequeña Flora sería probablemente la tarea de una vida feliz y útil. Ya habíamos acordado abajo que después de esa primera ocasión, ella dormiría conmigo, para lo cual ya se había trasladado a mi habitación su pequeña cama blanca. La misión mía era cuidar enteramente de ella, y si aquella noche se había quedado por última vez con la señora Grose era solamente en consideración a mi inevitable sensación de extrañeza y a su timidez natural. Pese a esa timidez —sobre la cual la propia niña había sido perfectamente franca y valiente, permitiendo, sin el menor signo de incómoda conciencia, con la profunda y dulce serenidad de los niños de Rafael, que discutiéramos su carácter con toda sinceridad—, me sentí completamente segura de que yo iba a gustarle. Aquello formaba parte también de lo que me había gustado en la señora Grose, el placer que ella manifestaba ante mi admiración cuando me senté a cenar en medio de cuatro velas con mi pupila, que se encontraba sentada en una silla alta y con un babero, mirándome con los ojos brillantes entre las velas mientras tomaba su pan y su leche. Naturalmente, había cosas que en presencia de Flora podíamos comunicarnos solamente mediante miradas de complicidad y oscuras alusiones.

—Y el niño, ¿se parece a ella? ¿Es también tan notable? Una no debería adular demasiado a un niño.

—¡Oh señorita!, el niño es de lo más notable. Si le parece bien ella... —y permaneció ahí, de pie y con un plato en la mano, contemplando radiante a la niña, que nos miraba a una y a otra con unos ojos plácidos que no parecían ocultar nada.

—Sí, me parece muy bien.

—¡Entonces se sentirá entusiasmada con el señorito!

—Bueno, es para eso que vine..., para sentirme entusiasmada. De todos modos, tengo un poco de miedo —recuerdo haber sentido el impulso de añadir—: Yo me dejo entusiasmar con demasiada facilidad. ¡Eso fue lo que me ocurrió en Londres!

Todavía puedo ver al amplio rostro de la señora Grose al oír esto.

—¿En Harley Street?

—En Harley Street.

—Bueno, señorita, no es usted la primera..., y no será la última.

—Oh, yo no tengo pretensiones —quise bromear— de ser la última. De todos modos tengo entendido que mi otro pupilo vuelve mañana.

—Mañana no, el viernes, señorita. Él llega como lo ha hecho usted, en la diligencia, al cuidado del guardia, e irá a recogerlo el mismo carruaje.

Al escuchar aquello quise saber si lo más adecuado, además de agradable y amistoso, pudiera ser el ir yo misma a recibirlo, acompañada de su hermana, una propuesta a la que la señora Grose asintió de muy buen grado, lo que yo consideré como una reconfortante señal —gracias a Dios nunca falsa— de que ambas estaríamos de acuerdo prácticamente en todo. ¡Se sentía tan contenta de que yo estuviera ahí!

Supongo que lo que sentí al día siguiente no fue una reacción de alegría por mi llegada; tal vez fue solamente una ligera opresión producida por la medida total de la escala mientras recorría el lugar, lo contemplaba, lo absorbía y lo integraba a mis nuevas circunstancias; me hallaba delante de una magnificencia y de una responsabilidad para las que no estaba preparada y en estas circunstancias me encontraba un poco asustada, además de que también un poco orgullosa. Con esta agitación, las lecciones regulares sufrieron un ligero retraso. Yo pensaba que mi primer paso sería lograr, con las más sutiles artes, ganarme a la niña y conseguir que me conociera tal como era. Pasé el día con ella al aire libre y dispuse, con gran satisfacción de su parte, que ella tendría que ser la única que me mostrara el lugar. Ella me llevó por toda la casa paso a paso y estancia por estancia, secreto por secreto, con su deliciosa charla infantil acerca de todo lo que íbamos viendo, lo que dio por resultado que en media hora nos hiciéramos grandes amigas. Joven, como era, me sorprendió en nuestro pequeño recorrido con su valor y confianza, entrando en las habitaciones vacías y sombríos corredores, recorriendo retorcidas escaleras que me hacían detener, e incluso llegamos hasta la parte superior de una antigua torre cuadrada que tenía almenas en lo alto y que me hizo estremecer, mientras ella seguía hablándome más allá de las cosas que le preguntaba y guiando mi visita. Yo no he vuelto a ver la casa de Bly desde que la abandoné, y me atrevería a decir que con mis ojos actuales, más viejos e informados, la casa sería menos espectacular para mí. Pero mientras mi pequeña guía, con su pelo dorado y su vestido azul, danzaba delante de mí doblando esquinas y recorriendo pasillos, tuve la visión de un castillo romántico habitado por un rosado duende travieso, un lugar que había adquirido todo el colorido de los libros infantiles y de los cuentos de hadas. ¿No podría ser todo aquello un libro infantil sobre el que me había quedado dormida y ahora estaba soñando? No, en realidad era una enorme, fea y antigua, pero muy conveniente casa que encerraba los restos de un edificio aún más antiguo, medio desplazado y medio utilizado, en el cual tenía la impresión de que nos encontrábamos casi tan perdidas como un puñado se pasajeros en un gran barco a la deriva; pero, sorprendentemente, en este barco ¡yo era el timonel!

II

Pensé en todo eso dos días más tarde, cuando me dirigí con Flora a recibir, como había dicho la señora Grose, al "señorito"; y sobre todo por un incidente que, ocurrido la segunda tarde después de mi llegada, me desconcertó profundamente. Como ya he dicho, el primer día, en lo general, había sido tranquilizador; pero pronto el viento cambiaría de dirección. Aquel atardecer el correo llegó tarde, pero contenía una carta para mí y estaba escrita por la mano del patrón, pero contenía sólo unas líneas que acompañaban a otra carta, dirigida a él y con el sello aún intacto.

"La reconozco, es del director de la escuela y el director de la escuela es un perfecto imbécil. Léala, por favor; si es necesario trate con él, pero no me diga nada al respecto. Ni una palabra..., ¡no estoy!"

Rompí el sello con gran esfuerzo, tanto me costó decidirme, pero finalmente llevé la carta a mi habitación y esperé hasta meterme en la cama para leerla. Hubiera hecho mejor aguardando hasta la mañana siguiente, pues aquella carta me causó una segunda noche sin dormir.

Al día siguiente, sin saber a quién recurrir para pedir consejo, me sentí llena de inquietud; y finalmente no pude resistirlo más y decidí abrir mi corazón a la señora Grose.

—¿Qué significa eso? El niño ha sido expulsado de su escuela.

Me dirigió una mirada que me pareció enigmática, pero luego, con una aparente inexpresividad, fingió que el asunto le sorprendía y que no sabía nada de ello.

—Pero, ¿acaso no los envían a todos...?

—A casa, sí; pero sólo para las vacaciones. Miles no puede volver—. Se ruborizó visiblemente ante mi atención.

—¿No lo van a admitir de nuevo?

—No, lo rechazan tajantemente.

Ante esta respuesta, alzó los ojos, que había apartado de mí, y los vi llenos de lágrimas.

—¿Qué ha hecho?

Dudé unos instantes y luego consideré que lo más prudente era simplemente tenderle todo el documento; pero ella se limitó a trenzar sus manos en la espalda, negándose a recibirlo, y después agitó la cabeza con un gesto de tristeza.

—Estas cosas no son para mí, señorita.

¡Mi consejera no sabía leer! Comprendí que había cometido un error, mismo que intenté atenuar de la mejor manera posible abriendo la carta para leérsela, pero luego dudé, volví a doblarla y la metí de nuevo en mi bolsillo.

—¿Es realmente malo —me dijo con lágrimas en los ojos—, lo que dicen esos caballeros?

—No entran en detalles; pero expresan su pesar de que les sea imposible seguirlo manteniendo en la institución. Eso sólo puede tener un significado. —La señora Grose escuchaba con muda emoción, aunque se abstuvo de preguntarme cuál pensaba yo que hubiese sido el motivo de la expulsión, de modo que, para dar un poco más de coherencia al asunto y con el apoyo que me daba su simple presencia, continué—: Dice que es una afrenta para los demás.

Ante aquello, con uno de esos cambios súbitos que son propios de la gente sencilla, la mujer se inflamó.

—¡El amo Miles!, ¿él una afrenta?

Había una buena fe tan grande en ella que, aunque yo todavía no había visto al niño, mis propios miedos me hicieron seguirla en ese tenor emocional y negar completamente aquella idea. Me descubrí, para ponerme completamente del lado de mi amiga, hablando sarcásticamente:

—¡Una afrenta para sus inocentes compañeros!

—Es demasiado terrible, —exclamó la señora Grose— ¡decir esas cosas tan crueles de un niño! Él apenas tiene diez años.

—Sí, sí; es increíble.

Evidentemente, ella se sentía agradecida por esa confirmación mía.

—Primero veámoslo a él, señorita; ¡luego podremos creerlo!

Me sentí dominada por una nueva impaciencia por ver al niño; ese fue el inicio de una curiosidad que, durante las siguientes horas, iba a acrecentarse hasta convertirse casi en un dolor. Yo podía observar que la señora Grose era consciente del sentimiento que había producido en mí, y siguió con firme seguridad:

—Lo mismo puede decirse de la señorita. ¡Bendita sea! —añadió— ¡Mírela!

Me volví y vi a Flora —a la que unos diez minutos antes había dejado en el estudio con una hoja de papel en blanco, un lápiz y un modelo de preciosas "O" redondas— de pie junto a la puerta abierta. La niña, a su modo, expresaba un extraordinario desapego hacia las tareas desagradables, pero me miraba con una gran luz infantil que parecía ser el mero resultado del efecto que había concebido hacia mi persona y que la había motivado a seguirme. Sólo necesitaba eso pera sentir el significado de la comparación que hacía la señora Grose, y tomando a la niña en brazos, la cubrí de besos en los que iba mezclado un sollozo de compensación.

Durante todo el resto del día, sin embargo, no perdí ninguna oportunidad de acercarme a la señora Grose, en especial cuando, hacia el atardecer, comencé a darme cuenta de que trataba de evitarme. Recuerdo que la abordé en una escalera, bajamos juntas, y al llegar abajo la retuve apoyando una mano en su brazo.

—Tomo lo que usted dijo a mediodía como una declaración de que usted *nunca* ha visto que el niño se comporte con maldad.

Entonces echó la cabeza hacia atrás, y cuando la alzó me di cuenta de que estaba dispuesta a tomar una actitud de veracidad.

—Oh, yo nunca he..., nunca he pretendido decir eso.

Entonces me sentí realmente desconcertada

—Entonces, ¿*ha visto* alguna vez...?

—Sí, señorita, ¡gracias a Dios!

Reflexioné sobre ello y comenté:

—¿Quiere decir que un niño que no hace travesuras de vez en cuando...?

—No es un niño para mí.

Le sujeté el brazo con mayor fuerza.

—¿Quiere decir que le gusta que sean traviesos? —y anticipándome a su respuesta— ¡A mí también! —pero inmediatamente añadí—: pero no hasta el punto de contaminar...

—¿Contaminar? —mi palabra la desconcertó.

—Corromper —le expliqué.

Se me quedó mirando, como asimilando el significado de lo que yo estaba pensando, y de pronto soltó una extraña risa.

—¿Tiene miedo de que él la corrompa a usted? —Hizo la pregunta con una ironía tan fina que con una risa, un poco tonta quizá, comparada con la suya, dejé a un lado el asunto, por temor al ridículo.

Pero al día siguiente, cuando se acercaba ya la hora de ir a buscar a Miles, volví a abordarla en otro lugar.

—¿Cómo era la señorita que estuvo aquí antes?

—¿La anterior institutriz? También era joven, y hermosa..., casi tan joven y tan hermosa como usted, señorita.

—Espero que su juventud y su belleza le ayudaran en esta casa —pero no pude evitar decir—. ¡Parece que a él le gusta que seamos jóvenes y hermosas!

—Oh, le *gustaba* —asintió la señora Grose— ¡Así era como le gustaban todas! —pero apenas acababa de decirlo se contuvo—. Quiero decir que así es *él* ..., el amo.

Me mostré sorprendida.

—¿Pero, de quién hablaba usted primero?

Quiso mostrarse inexpresiva, pero se le enrojeció el rostro.

—¿Pues de quién va a ser?, de él, del amo; de quién si no.

A mí me parecía tan obvio que no se podía hablar de nadie más, que al momento siguiente había perdido la impresión de que accidentalmente ella había dicho algo más de lo que pretendía, entonces simplemente le pregunté lo que quería saber:

—¿Vio ella algo en el niño?

—¿Algo que no estuviera bien?; no lo sé, nunca me lo dijo.

Yo sentí un cierto escrúpulo, pero no le di importancia.

—¿Era cuidadosa..., exigente?

Pareció que la señora Grose intentaba ser muy acuciosa en sus respuestas.

—Sobre algunas cosas sí.

—¿Pero no sobre todas?

Lo pensó de nuevo con mucho cuidado.

—Bueno, señorita..., ella ya no está. Prefiero no contar historias.

—Comprendo sus sentimientos —me apresuré a responder; pero al cabo de unos instantes comprendí que eso no obstaba para hacer la pregunta que traía en mente—. ¿Murió aquí?

—No..., ya se había marchado.

No sabía por qué, pero la respuesta de la señora Grose me pareció ambigua.

—¿Se marchó para morir? —La señora Grose miró fijamente por la ventana, pero yo tuve la sensación de que, hipotéticamente, yo tenía derecho a saber lo que se esperaba que hicieran las personas jóvenes encomendadas para Bly—¿Quiere decir que se puso enferma y se marchó para su casa?

—Por lo que yo entiendo, no se puso enferma en esta casa. Se marchó a finales del año y se fue a su casa para tomar unas cortas vacaciones; al menos eso fue lo que dijo, lo que era bastante lógico, pues ya tenía derecho a unas vacaciones después del tiempo que llevaba aquí. Entonces teníamos a una chica joven, una niñera que ya había estado en la casa en otras ocasiones y que era muy buena y lista. Ella fue la que se hizo cargo de los niños durante aquel tiempo. Pero nuestra señorita nunca volvió, y cuando ya la estábamos esperando se recibió la noticia de su muerte, de parte del amo.

—Pero, ¿de qué murió? —no pude evitar preguntar.

—¡Él nunca lo dijo! Por favor, señorita —dijo la señora Grose, en un tono suplicante—, tengo que volver a mi trabajo.

III

*E*l hecho de que en aquellos momentos se me escabullera no fue para mí, afortunadamente, algo que pusiera en peligro nuestra creciente estima. Cuando llegó el pequeño Miles a casa nos sentimos más unidas que nunca sobre la base de la incertidumbre que se había creado en mí y en general de la emoción que todo me causaba. Yo no podía aceptar el que un niño como aquél que acababa de llegar hubiera sido expulsado de la escuela, simplemente no lo podía creer. Llegamos un poco tarde a recibirlo y al verlo tuve la sensación, mientras él se encontraba de pie y muy pensativo, como buscándome en la puerta de la posada donde el cochero lo había dejado, de ver en él al instante, por dentro y por fuera, el gran fulgor de inocencia, la misma fragancia de pureza que desde el primer momento había visto en su hermana. Era un niño increíblemente hermoso, y la señora Grose había puesto el dedo en la llaga cuando me hizo entender que su presencia lo borraba todo, excepto una especie de apasionada ternura hacia él. Lo que sentí ahí, entonces, en lo más profundo de mi corazón, fue algo tan divino que nunca lo he vuelto a experimentar en el mismo grado con cualquier otro niño, sobre todo ese indescriptible aire de no saber nada más del mundo que el lado amoroso. Hubiera sido imposible arrastrar consigo una mala reputación combinada con tanta dulzura e inocencia. Cuando llegué de vuelta a Bly, con él, lo único que sentía era un asombro absoluto —además de indignación— por aquella carta guardada en uno de los cajones de mi habitación. Tan pronto como pude intercambiar unas palabras a solas con la señora Grose, le declaré enfáticamente que todo aquello era grotesco. Ella me comprendió de inmediato.

—¿Se refiere a la cruel acusación?

—Sí, no se puede corroborar ni por un instante, ¡sólo basta mirarlo! —Ella sonrió ante mi presunción de haber descubierto el encanto del niño.

—Le aseguro, señorita, que no hago otra cosa que admirarlo. ¿Qué va a decirles entonces?

—¿En respuesta a la carta? —lo pensé unos instantes— Nada en absoluto.

—¿Y a su tío?

—Nada en absoluto.

—¿Y al niño?

—Nada en absoluto —volví a contestar, asombrándome yo misma de la firmeza de mi determinación.

Ella se secó la boca con el delantal.

—Entonces estaré de su lado. Juntas lo arreglaremos.

—¡Lo arreglaremos! —Hice un eco con emoción y le tendí mi mano para hacer de aquello un verdadero pacto.

Ella retuvo por un instante mi mano, y luego la retiró para volver a limpiarse la boca con el borde del delantal.

—¿Le importaría, señorita, si me tomo la libertad?

—¿De darme un beso? ¡Claro que no! —La tomé entre mis brazos, y después juntas nos abrazamos como hermanas; entonces me sentí fortalecida en mi decisión e indignada contra la escuela.

Todo eso ocurrió en un momento; fue un momento tan intenso que, tal como recuerdo que fueron las cosas, me hace pensar que voy a necesitar todo mi arte para poder narrarlo todo con claridad. Cuando veo las cosas en retrospectiva me sorprende la situación que acepté con toda naturalidad. Me había comprometido, junto con mi compañera, a arreglarlo todo, y al parecer me encontraba bajo el efecto de un hechizo capaz de allanar todas las dificultades que se me presentaran. Me había dejado arrastrar por una gran oleada de soberbia y compasión. En medio de mi ignorancia, mi confusión y tal vez mi orgullo, yo había considerado sencillo suponer que podía ocuparme de un muchacho cuya educación para el mundo apenas estaba comenzando. Incluso ahora no soy capaz de recordar lo que preví para el final de sus vacaciones y lo que sería la reanudación de sus estudios. Lecciones conmigo, por supuesto, durante aquél encantador verano; eso era en teoría lo único que teníamos que hacer. Pero ahora tengo la sensación de que durante semanas fui yo quien recibió las lecciones. Aprendí algo —al principio, por supuesto— que nunca había sido una materia en las lecciones recibidas en mi limitada vida: aprendí a divertirme, e incluso a divertir, y también a no pensar en el mañana. En cierto modo, fue la primera vez que conocí el espacio y el aire de la libertad; toda la música del verano y todo el misterio de la naturaleza; pero también estaba la gentileza, y la gentileza era algo muy dulce. Oh, todo aquello era una trampa —no preparada pero sí profunda— a mi imaginación, a mi delicadeza, quizá a mi vanidad; a todo lo que es más excitable en mí. La mejor forma de reflejarlo es decir que yo me encontraba con la guardia baja. Aquellos niños me daban tan pocos problemas, eran de una gentileza extraordinaria, tanto que yo acostumbraba especular —aunque también de una manera irreflexiva— lo que pasaría con ellos en el áspero futuro de sus vidas (¡porque todos los futuros son ásperos!), y si las cosas del mundo podían llegar a herirlos. Ellos estaban en la flor de la salud y de la felicidad; y sin embargo, como si estuviera a cargo de un par de aristócratas, de príncipes de sangre real, para quienes siempre tendría que estar todo dispuesto y ordenado, la única forma que en mi imaginación podían adoptar los años futuros para ellos era la de una romántica y realmente auténtica extensión del jardín de la casa. Es posible, por supuesto, que todo lo que ocurrió después, le diera a mis recuerdos de esos primeros tiempos el gusto de la quietud, que era como ese silencio en el cual algo se agazapa y se prepara para saltar, porque el cambio fue realmente como el salto de una bestia.

Durante las primeras semanas los días fueron largos; con frecuencia, cuando las cosas no podían ir mejor, me proporcionaban lo que yo llamaba mi "hora personal", la hora en que, llegado el momento para mis pupilos de tomar el té e irse a la cama, en el intervalo antes de retirarme yo tenía un espacio de intimidad. Por mucho que me gustara la compañía de los niños, estos eran los momentos del día que yo más apreciaba, y lo apreciaba sobre todo cuando, a medida que se iba haciendo oscuro —o más bien, diría que el día se demoraba y en el cielo resonaban los cantos de los últimos pájaros desde los viejos árboles—, podía pasear por los terrenos y gozar de aquello con una sensación de propiedad que me divertía y halagaba, disfrutando de la belleza y de la dignidad del lugar. En aquellos momentos era un placer sentirme tranquila y justificada, y también reflexionar acerca de que mi discreción, mi tranquilo buen sentido y mis altas cualidades estaban rindiendo frutos —¡como si él pensara alguna vez en ello!— y estaban complaciendo a la persona que me había presionado para aceptar este cargo. Todo lo que yo estaba haciendo era lo que él había esperado ansiosamente que hiciera y me lo había pedido con vehemencia, y sentía una gran satisfacción en el hecho de que yo *podía*, después de todo, hacerlo, extrayendo de ello una alegría mayor de la que hubiera esperado sentir. Me atrevo a decir que soñaba que era una joven notable y eso no tardaría en hacerse público; bueno, al menos yo necesitaba sentirme notable para ofrecer un frente a las notables cosas que en aquellos momentos estaban dando sus primeras señales.

Fue una tarde, durante el transcurso de mi hora personal. Los niños ya se habían retirado y yo había salido a dar mi paseo. Uno de los sentimientos que frecuentemente me asaltaban durante esos paseos, y que no me importa comentar ahora, solía ser el que resultaría encantador encontrarme de pronto con alguien en concreto; con alguien que apareciera en un recodo del sendero, y que se detuviera delante de mí y me sonriera, y me mostrara su aprobación; nada más que eso... Yo sólo pedía que él *supiera*; y la única forma de estar segura de que lo sabía era verlo físicamente, y ver esa aprobación reflejada en su hermoso rostro. Eso era exactamente lo que tenía presente, la expresión de su rostro, cuando en la primera de estas ocasiones, a finales de un largo día de junio, me detuve en seco al salir de una de las arboledas y llegar hasta la vista de la casa. Lo que me detuvo de improviso —y con una impresión mucho mayor de la que me hubiera producido cualquier visión— fue la impresión de que mi fantasía se había convertido en realidad. ¡Él estaba ahí!... Pero muy arriba, más allá del césped y en la parte superior de la torre a la cual, aquella misma mañana, me había conducido la pequeña Flora. Esa torre era una de las dos incongruentes estructuras almenadas que se distinguían la una de la otra por algunas diferencias que no parecían significativas, pero se les llamaba "la nueva" y "la vieja". Esas torres flanqueaban los dos extremos de la casa y no eran más que unos absurdos arquitectónicos, redimidos en cierta medida porque no desentonaban del todo con el resto de la arquitectura ni su altura era demasiado pretenciosa, y sobre todo porque databan, supuestamente, de una época de renacimiento romántico que se había convertido ya en respetable pasado. En realidad yo admiraba esas torres, me gustaba verlas porque, hasta cierto punto, todos podíamos extraer de ellas un provecho, en especial cuando se alzaban al oscurecer y surgía la grandeza de sus almenas; pero no era aquella altura donde la figura que yo tan a menudo había invocado parecía hallarse en su sitio.

Recuerdo que aquella figura produjo en mí, en el claro atardecer, dos emociones distintas que marcaron grandemente mi primera y segunda sorpresa; la segunda fue una violenta percepción del error de la primera: el hombre que me miró a los ojos no era la persona que yo había supuesto precipitadamente. Esto creó un descontento en mi visión que, tras todos estos años, no encuentro forma alguna de describir. Un hombre desconocido en un lugar solitario puede ser objeto de miedo para una mujer joven que conoce poco mundo; además de que era indudable que la figura me miraba —me lo confirmaron unos pocos segundos más— y tenía tan poco en común con alguien que yo conociera como la imagen que había estado en mi mente. Desde luego no la había visto en Harley Street, y no la había visto en ninguna parte. Además de que el sitio, de la forma más extraña del mundo, se había convertido en un instante y por el hecho mismo de su aparición en algo solitario. La sensación que se produjo en mí en esos momentos regresa con una claridad mayor que nunca mientras escribo esto. Era como si, mientras miraba, todo el resto de la escena se viera sumido en un silencio mortal. También puedo oír ahora, mientras escribo, la intensa quietud en la que se sumieron todos los sonidos. Los cuervos dejaron de graznar en el cielo dorado de la tarde, y la amistosa hora perdió por un minuto que parecía eterno, toda su voz. Pero no recuerdo que hubiera habido ningún otro cambio en la naturaleza, al menos un cambio que pareciera con una extraña nitidez. El oro estaba todavía en el cielo, la claridad en el aire, y el hombre que me miraba por encima de las almenas era tan definido como un retrato en su marco. Así fue como pensé, con una extraordinaria rapidez, en cada persona que podía haber sido y que sin embargo no era. A través de la distancia, nos vimos enfrentados al tiempo suficiente como para que yo me pudiese preguntar quién era él, y sintiera, como un efecto de mi incapacidad de responderme a esa pregunta, un asombro que en unos pocos segundos se me hizo intenso.

La gran cuestión, o una de ellas, es a posteriori, bien lo sé, con respecto a ciertos asuntos, difícil determinar cuánto tiempo han durado. Se puede pensar lo que se quiera con respecto a esa experiencia mía, que duró por lo menos mientras yo discernía una serie de posibilidades, ninguna de las cuales era satisfactoria, como la de que hubiera en la casa —¿desde hacía cuánto tiempo?— una persona cuya presencia ignoraba. Aquella visión duró mientras meditaba un poco en que mi puesto requería que yo no ignorara la existencia de otras personas en la casa. Duró mientras ese visitante —recuerdo que había algo extraño en él, un signo de familiaridad con la casa en el hecho de que no llevaba sombrero— parecía observarme desde su lugar, escrutándome a través de la luz que se desvanecía con las mismas interrogantes que su presencia provocaba en mí. Estábamos demasiado lejos el uno del otro como para llamarnos, pero hubo un momento en el que, a más corta distancia, alguna palabra entre nosotros, rompiendo el silencio, hubiera sido el resultado lógico de nuestra observación mutua. Él se encontraba en uno de los ángulos, el más alejado de la casa, muy erguido, y me pareció que descansaba ambas manos en su antepecho. Puedo verlo todavía tan claramente como veo las letras de esta página;

luego, tras un minuto exactamente, y como para aumentar el efecto, cambió lentamente de lugar, pasó, sin dejar de mirarme ni un momento, a la esquina opuesta de la plataforma. Recuerdo muy bien que mantuvo sus ojos intensamente fijos en mí durante el trayecto de su cambio de sitio, y en ese momento pude ver la forma en la que se movían sus manos mientras avanzaba de una de las almenas a la siguiente. Finalmente se detuvo en la otra esquina, pero menos tiempo, e incluso cuando se volvió y siguió mirándome fijamente, hasta que se dio la vuelta y desapareció de mi vista; eso fue todo lo que supe de él.

IV

No es que yo esperase algo más en aquella ocasión,
puesto que me sentí tan profundamente convencida como
impresionada. ¿Había un secreto en Bly, un misterio como el de Udolfo, o un inmencionable familiar loco en
insospechado confinamiento? Yo no puedo decir durante
cuánto tiempo le di vueltas a esta idea, o durante cuánto
tiempo, en medio de una confusión de curiosidad y temor,
permanecí en el sitio en el que se había producido este
encuentro; sólo recuerdo que cuando volví a entrar en la
casa la oscuridad ya se había cerrado a mi alrededor. En el
intervalo, la agitación me había sostenido e impulsado
porque, dando vueltas por el lugar, yo debí caminar unos
cinco kilómetros; pero más tarde me vería tan abrumada
que ese mero despertar de alarma fue un estremecimiento
muy humano. La parte más singular del hecho —tan singular como lo había sido el resto—, fue aquella parte en la
que, en el vestíbulo, me encontré con la señora Grose. Esta
imagen vuelve en mí en medio de la sucesión general de
acontecimientos, la impresión, como cuando la recibí a mi
regreso, del amplio espacio blanco, brillante a la luz de la

lámpara y con sus retratos y su alfombra roja, y de la sorprendida mirada de mi amiga, que se apresuró a decirme que ya se encontraba preocupada por mí. Ante su sentimiento de alivio por mi aparición, se me ocurrió que ella no sabía nada respecto de lo que yo quería hablarle. No sospeché por anticipado que su tranquilizador rostro iba a detenerme, y de ninguna manera valoré la importancia de lo que había visto ante mi vacilación de mencionárselo. Nada en toda la historia me parece tan extraño como el hecho de que el verdadero principio de mi miedo se viera acompañado, podría decir con el instinto de no participárselo a mi compañera. Así pues, en el agradable vestíbulo y con sus ojos fijos en mí, por alguna razón que entonces no me podía explicar, yo solamente expresé una vaga explicación para mi tardanza, y con la excusa de la belleza y de la noche y el rocío que había mojado mis pies, subí a mi recámara tan pronto como me fue posible.

Ya en mi habitación, y durante muchos días después de eso, me entró una necesidad de estar sola para reflexionar, no sólo acerca de aquella visión, sino en general de un vago sentimiento de extrañeza que me aquejaba a cualquier hora del día; hubo momentos, arrancados incluso a mis deberes, en que yo corría a mi habitación, tan sólo con la finalidad de estar a solas un rato y poder pensar. No era tanto que estuviera más nerviosa de lo que podía soportar, como que sentía miedo de llegar a estar nerviosa, porque la idea que ahora daba vueltas por mi cabeza era, simple y claramente, la verdad de que no podía llegar a ninguna conclusión acerca del visitante al que había visto tan inexplicablemente, y que sin embargo me parecía de alguna

manera lógico y hasta familiar. Necesité poco tiempo para
darme cuenta de que podía descubrir fácilmente, sin
ninguna forma de indagación y sin despertar sospechas,
cualquier complicación doméstica. La impresión sufrida
aquella tarde debía haber agudizado mis sentidos, de manera
que me sentía segura, al término de tres días y como resultado
de una mayor atención, de que no había sido víctima de
alguna "broma" por parte de la servidumbre. Cualquier cosa
que fuese lo que había ocurrido, estaba segura de que nadie
a mi alrededor sabía nada y sólo podía llegarse a una
conclusión racional: alguien se había tomado una libertad
impropia y casi monstruosa; eso era por lo que, repetidamente, me encerraba en mi habitación, para decirme a mí
misma que habíamos sido objeto de una intrusión; tal vez
algún viajero sin escrúpulos, sintiendo curiosidad hacia las
casas antiguas, se había abierto camino hacia el interior de
la propiedad sin ser observado, y había gozado de la vista
desde el mejor punto de observación, y luego se había
marchado tal como había venido. El hecho de que me hubiera dirigido una mirada tan atrevida no era más que una
parte de su indiscreción. Lo bueno en este caso, después
de todo, era que seguramente no íbamos a saber más de él.

Admito que esto no era suficiente para no permitirme
juzgar que, en esencia, no había nada más significativo
que mi maravilloso trabajo. Aquel trabajo era simplemente
mi vida diaria con Miles y Flora, y ninguna otra sensación
podría ser más agradable para mí y me podía alejar de todos
los malos pensamientos. La atracción de mis pequeños
pupilos era una alegría constante y me inducía a pensar en
la vanidad de mis temores originales, el miedo que había

sentido al principio por el probable aburrimiento de mi trabajo. Pero en la realidad no había ningún aburrimiento, nada podía ser menos pesado; ¿cómo no podía ser encantador un trabajo que se presentaba lleno de belleza y de gracia todos los días? Tenía todo el encanto de la maternidad y la poesía del salón de clases. Por supuesto, no puedo decir con esto que sólo estudiáramos ficción y poesía; quiero decir que no puedo expresar de ninguna otra forma el tipo de interés que me inspiraban mis compañeros. ¿Cómo puedo describirlo, excepto diciendo que, en vez de acostumbrarme progresivamente a ellos —lo que ya es maravilloso para una institutriz, y pongo de testigos a todas ellas—, hacía nuevos y constantes descubrimientos? Por supuesto, había una dirección en la que estos descubrimientos se detenían: una profunda oscuridad seguía cubriendo aquello de la conducta del niño en la escuela. Ya antes he dicho que muy pronto pude enfrentarme a ese misterio sin dolor. Quizá incluso me acercaría más a la verdad si dijera que —sin una palabra— él mismo se había encargado de darme pistas sobre el asunto, pues había hecho que toda la acusación se volviera absurda. Mi conclusión fue la de su total inocencia; él era un niño demasiado bueno y sensible como para soportar el sórdido mundo de la escuela, y había tenido que pagar su precio por ello. Reflexioné ampliamente acerca de que los sentimientos de tales diferencias individuales, tales superioridades de calidad, siempre, por parte de la mayoría —incluyendo incluso a estúpidos directores de escuela— se vuelven indefectiblemente sentimientos tendientes a la venganza.

Los dos niños tenían una gentileza —esa era su única falta— que los mantenía (¿cómo puedo expresarlo?) casi impersonales y ciertamente "no castigables". Eran como aquellos dos querubines del cuento que —moralmente al menos— no tenían nada que golpear. Recuerdo que con Miles en especial, yo tenía un sensación como si nunca hubiera tenido lo que podríamos llamar una historia infinitesimal. De un niño pequeño esperamos pocos "antecedentes", pero en aquel hermoso niño había algo extraordinariamente sensible, y sin embargo extraordinariamente feliz que, más que en ningún otro niño de su edad que jamás haya conocido, me sorprendía como algo nuevo cada día. Él parecía no haber sufrido nunca ni por un segundo. Tomé esto como una prueba directa de que nunca había sido realmente castigado por nada. Si hubiera cometido alguna fechoría, hubiera sido "atrapado", y yo lo hubiera sabido de rebote..., hubiera encontrado las huellas, e incluso hubiera percibido la herida y el deshonor. Yo no podría reconstruir nada en absoluto, y en consecuencia él era un ángel. Nunca hablaba de la escuela, nunca mencionó a un compañero o a un maestro; y yo, por mi parte, estaba demasiado disgustada para aludirlos. Por supuesto me hallaba bajo un conjuro, y lo más maravilloso de ello era que, incluso entonces, lo sabía perfectamente. Pero no me preocupaba, porque aquello era un antídoto ante cualquier dolor, y yo tenía más de uno. Por aquellos días había recibido inquietantes cartas de mi casa, en las que se me decía que las cosas no iban bien. Pero contagiada por la alegría de mis niños ¿qué otras cosas importaban en este mundo? Ésa era la pregunta que solía plantearme en mis momentos de retiro. Yo estaba deslumbrada por el encanto absoluto que emanaba de ellos.

Hubo un domingo —para seguir con la historia—en que llovió con tanta fuerza y durante tantas horas que no hubo forma de llegar a la iglesia; en consecuencia, a medida que declinaba el día, dispuse con la señora Grose que si, por la tarde mejoraba el tiempo, iríamos juntas al último servicio. Afortunadamente la lluvia cesó y me preparé para nuestro paseo que, a través del parque y por la buena carretera hasta el pueblo, no tomaría más de veinte minutos. Cuando bajé las escaleras para reunirme con mi compañera en el vestíbulo, recordé un par de guantes que habían requerido tres puntadas, y las habían recibido —con una publicidad quizá no del todo edificante— mientras yo permanecía sentada con los niños tomando el té, servido los domingos, como una excepción, en aquél frío y exageradamente limpio templo de caoba y bronce que era "el comedor de los mayores". Los guantes se habían quedado ahí y fui a buscarlos. El día era bastante gris, pero la luz de la tarde todavía era suficiente para permitirme, al cruzar el umbral, no sólo reconocer los guantes en una silla frente a la amplia ventana, sino distinguir la presencia de una persona al otro lado de la ventana que miraba discretamente al interior. Bastó un paso dentro de la habitación, mi visión fue completa, todo estaba ahí; entonces me di cuenta de que la persona que miraba hacia adentro era la misma que yo había visto anteriormente; ahora se me aparecía de nuevo, aunque no con la misma claridad, pues eso se dificultaba por la ventana y por la luz, pero con una mayor proximidad, lo que representaba una nueva perspectiva. La visión hizo que contuviera el aliento y sintiera una profunda frialdad. Estaba segura de que era el mismo..., era el mismo y visto,

al igual que la otra vez, de la cintura para arriba, puesto
que la ventana, aunque el comedor estaba en la planta baja,
no llegaba hasta el piso en el que él estaba de pie. Su rostro
se encontraba cerca del cristal, pero el efecto de verlo más
cerca esta vez sólo sirvió, extrañamente, para mostrarme
lo intensamente que lo había mirado la otra vez. Él permaneció solamente unos pocos segundos, pero eso fue suficiente
para convencerme de que él también me veía y ciertamente me reconocía; aunque yo tenía la sensación de que lo
hubiese visto durante años y lo hubiese conocido desde
siempre. Sin embargo, algo ocurrió esta vez que no había
ocurrido la otra: su mirada a través del cristal, directamente
a mi rostro, fue tan profunda y dura como la primera vez,
pero se desvió de mí por un momento, durante el cual yo
todavía pude seguir observándolo, y observar cómo se fijaba
sucesivamente en varias cosas. En aquel instante recibí la
impresión, y una sensación de certeza, de que no era a mí a
quien buscaba, venía hasta aquí en busca de otra persona.

El destello de aquella certidumbre —porque a pesar del
temor fue una certidumbre— produjo en mí el efecto más
extraordinario, iniciado mientras permanecía ahí de pie, y
que yo sentía como una combinación de deber y valor,
y eso era el efecto de que ya me encontraba más allá de
toda duda. Salí de inmediato de la puerta y alcancé la entrada principal de la casa, un momento después estaba en
el camino y, cruzando la terraza tan rápido como pude,
doblé la esquina y llegué al lugar; el visitante ya se había
marchado. Me detuve jadeante, sintiendo un auténtico alivio
ante ello; pero al observar lentamente el espacio creo que
le di tiempo de reaparecer; aunque no puedo saber cuánto

tiempo. Hoy me es difícil hablar de la duración de las cosas, ese tipo de medida parece haberme abandonado; creo
que el hecho no pudo durar tanto como actualmente me
parece que duró. La terraza y todo el lugar, el césped y el
jardín más allá, todo lo que podía ver del parque, estaban
vacíos, y el vacío se percibía como algo inmenso. Había
matorrales y grandes árboles, pero recuerdo la completa
seguridad que sentí de que él no se ocultaba tras ninguno
de ellos. Estaba ahí o no estaba; si no lo veía simplemente
podía considerar que no estaba, y yo me aferraba a ese
pensamiento; luego, instintivamente, en vez de volver por
donde había venido, me acerqué a la ventana; tenía la
confusa sensación de que debía situarme ahí, en el mismo
lugar donde él había estado. Entonces acerqué mi rostro al
cristal y miré hacia adentro, tal como él lo había hecho,
como si en aquel momento deseara mostrarme exactamente
cuál había sido el campo de su visión, la señora Grose,
como yo misma había hecho antes, entró en el vestíbulo y
yo pude tener una escena completa que reproducía la que
antes había ocurrido. Ella me miró desde la misma perspectiva que yo había tenido con el visitante. Se puso
muy pálida, y eso me hizo preguntarme si yo también había palidecido. Me miró unos instantes y luego retrocedió,
siguiendo la misma trayectoria que yo había seguido,
entonces supe que ella también había salido y ahora rodeaba la casa para venir al sitio donde yo me encontraba,
por lo que pronto nos reuniríamos. Permanecí en el mismo
lugar, aguardándola, y entre tanto pensaba en varias cosas,
pero hay una de ellas que quiero mencionar. Yo me
preguntaba por qué se había asustado *ella*.

V

Pero ella me lo hizo saber tan pronto como dobló la esquina y me tuvo a la vista.

—¿Por Dios, qué ocurre? —dijo, acalorada y sin aliento.

Yo no respondí nada hasta que estuvo a mi lado.

—¿A mí? —debía tener un aspecto horrible— ¿Se me nota?

—Está tan blanca como una sábana. Se le ve descompuesta.

Medité: bien podría admitir, sin ningún escrúpulo, cualquier grado de inocencia. Mi necesidad de respetar la impresión de la señora Grose había resbalado sin el menor problema, como liberándome de una carga, y si vacilé por un momento no fue por lo que ocultaba. Tendí mi mano y ella la tomó; la retuve fuertemente unos instantes, contenta de tenerla cerca de mí. Había una especie de apoyo en el tímido aliento de sorpresa.

—Ya sé que ha venido a buscarme para ir a la iglesia —le dije—, pero no puedo ir.

—¿Ha ocurrido algo?

—Sí, tiene que saberlo ahora. Ví algo afuera.

—¿Tenía un aspecto muy extraño?

—¿A través de la ventana?... Sí, horrible. Bueno—, dije, —lo que pasa es que estaba muy asustada.

Los ojos de la señora Grose expresaban claramente su deseo de no asustarse ella misma, pero también que conocía demasiado bien su lugar como para no estar dispuesta a compartir conmigo cualquier contratiempo serio; pero yo tenía la necesidad de compartirlo.

—Lo que usted vio desde el comedor le resultó impresionante; pero lo que yo vi antes fue mucho peor, y eso fue lo que me afectó.

Su mano apretó la mía.

—¿Qué fue?

—Un hombre muy extraño, mirando hacia adentro.

—¿Y quién era ese hombre?

—No tengo la menor idea.

La señora Grose observó el terreno a nuestro alrededor, pero no descubrió la presencia de nadie.

—¿Hacia dónde se fue?

—Tampoco lo sé.

—¿Lo había visto antes?

—Si..., una vez, en la torre vieja.

Ella me miró con gran asombro.

—¿Quiere decir que es un extraño y se encontraba en la torre?

—Sí, así es.

—No se lo dije por varias razones, pero ahora ya lo ha adivinado usted.

La señora Grose me miró con desconcierto.

—Oh, yo no he adivinado nada —dijo con sencillez—. ¿Cómo podría adivinar algo si usted ni se lo imagina?

—Pues sí, es verdad, no podría.

—¿Y lo ha visto en otra parte además de la torre?

—Y en este lugar, hace un rato.

—¿Y qué estaba haciendo en la torre?

—Sólo permanecía ahí, y me miraba.

Entonces pareció meditar por unos instantes.

—¿Tenía el aspecto de un caballero?

—No —dije tajantemente.

—Entonces, ¿no era nadie del lugar?, ¿nadie del pueblo?

—Nadie.

Dejó escapar un vago suspiro de alivio; sorprendentemente parecía satisfecha por ello; pero no duró mucho.

—Pero, si no era un caballero...

—Yo diría que es *un horror.*

—¿Un horror?; ¡oh, Dios me guarde si *sé* lo que es!

La señora Grose miró una vez más a nuestro alrededor, clavó los ojos en la creciente oscuridad de la lejanía y luego, recobrándose, se volvió hacia mí y dijo inconsecuentemente:

—Es hora de que vayamos a la iglesia.

—¡Oh, no estoy yo para ir a la iglesia!

—¿No le hará bien?

—Pienso que nos hará bien a *ellos* —hice un gesto hacia la casa.

—¿A los niños?

—Sí, siento que no debo dejarlos solos ahora.

—Teme que...

—Le temo a *él* —le dije con claridad.

El amplio rostro de la señora Grose me mostró entonces, por primera vez un débil atisbo de una comprensión más aguda, mi comentario pareció despertar en ella el retardado asomo de una idea que yo misma no le había sugerido y que de hecho era bastante oscura para mí. Se me ocurre que pensé al instante acerca de ello como algo que podía obtener de la señora Grose, y tuve la sensación de que eso tendría que estar conectado con el deseo que tenía de saber más.

—¿Cuándo ocurrió lo de la torre? —me preguntó.

—A mediados de mes, a esta misma hora.

—Al anochecer —dijo la señora Grose.

—Sí, pero antes de que se hiciera oscuro. Lo vi tan claramente como ahora la veo a usted.

—Pero, ¿cómo pudo entrar?

—¿Y cómo pudo salir? —dije en broma—; ¡no tuve oportunidad de preguntárselo! Esta tarde, ya ve —proseguí—, ni siquiera ha podido entrar.

—¿Sólo mira?

—¡Espero que se limite a eso! —Había soltado mi mano; se volvió ligeramente hacia un lado y yo aguardé un instante, luego indiqué—: Usted puede ir a la iglesia, yo prefiero quedarme para vigilar.

Se volvió lentamente hacia mí.

—¿Teme por ellos?

—¿Usted no? —le devolví la pregunta, mientras nos mirábamos largamente.

En vez de responder ella se acercó a la ventana y, durante un minuto, aplicó su rostro al cristal.

—Así es como estaba él —le dije.

—¿Cuánto tiempo estuvo aquí?

—Hasta que yo salí, de hecho fui a su encuentro.

La señora Grose se volvió en redondo, y su rostro reflejó algo más.

—Yo no hubiera podido salir.

—¡Yo tampoco! —volví a tomarlo a broma y hasta reí un poco—; pero lo hice, sentí que era mi deber.

—También es el mío —respondió, para después añadir—: ¿Qué aspecto tiene?

—Yo quisiera describirlo, pero la verdad es que no se parece a nadie.

—¿A nadie? —hizo eco.

—No lleva sombrero —Entonces, viendo en su rostro la consternación, intenté mencionar algunos rasgos que vinieron a mi memoria—. Tiene el pelo rojo, muy rojo y muy rizado; un rostro pálido, largo, con rasgos agradables y unas curiosas patillas tan largas y tan rojas como su pelo. Sus cejas son algo más oscuras y parecen muy arqueadas, como si fuera capaz de moverlas mucho. Sus ojos son agudos, extraños..., horribles; pero sólo puedo decir con seguridad que son más bien pequeños y miran muy fijamente. Su boca es ancha y sus labios finos; excepto por sus patillas, él lleva el rostro afeitado. Me dio la impresión de que era un actor.

—¡Un actor! —Era imposible que algo se pareciera menos a un actor en aquellos momentos que la señora Grose.

—Nunca he visto uno, pero así supongo que son. Es alto, altivo, muy erguido —proseguí—; pero de ninguna manera puedo decir que sea un caballero.

El rostro de la señora iba palideciendo a medida que yo hablaba, con sus redondos ojos muy abiertos y su boca colgando.

—¿Un caballero? —dijo balbuciendo, confusa— No, él no puede ser un caballero.

—Entonces, ¿lo conoce?

Intentó visiblemente contenerse.

—Pero, ¿es apuesto?

—¡Notablemente!

—¿Y cómo viste?

—Con las ropas de otro. Son elegantes, pero no son las suyas.

Ella gruñó algo afirmativo, pues parecía haber perdido el aliento.

—¡Son del amo!

Yo tomé la ocasión por los pelos.

—Entonces ¿lo conoce?

Dudó un segundo.

—¡Quint! —exclamó.

—¿Quint?

—Peter Quint... ¡su criado, su ayuda de cámara, cuando él estaba aquí!

—¿Cuando estaba aquí el amo?

Todavía sin recuperar el aliento, ella continuó su historia:

—Nunca se ponía el sombrero, pero sí otras cosas..., aquí, el año pasado. Pero luego el amo se fue y Quint se quedó solo.

Dudé unos instantes, pero luego insistí.

—¿Solo?

—Bueno, con *nosotros* —y luego, con un profundo suspiro—; y a cargo de todo.

—¿Y qué fue de él?

Tardó tanto en contestar que empecé a ponerme nerviosa.

—También se fue —dijo al fin.

—¿A dónde se fue?

Su expresión se convirtió entonces en algo extraordinario.

—¡Dios sabe dónde!... Murió.

—¿Murió? —dije, palideciendo del susto.

Ella levantó los hombros, se plantó más firmemente en el suelo y expresó lo increíble:

—Sí. El señor Quint está muerto.

VI

*P*or supuesto, yo necesité algo más que aquella conversación para hacerme a la idea de aquello con lo que íbamos a tener que vivir, mi propensión a las impresiones del tipo tan vívidamente descrito, y el conocimiento de mi compañera —un conocimiento mitad consternación, mitad lástima— de esa propensión. Aquella tarde, después de esa revelación que me dejó terriblemente postrada durante más de una hora, ninguna de las dos tuvimos ánimos para asistir a los servicios de la iglesia, pero sí realizamos un pequeño servicio de lágrimas y oraciones, un clímax a la serie de desafíos y promesas mutuas que nos llevaron a retirarnos juntas al área de estudio para contárnoslo todo. El resultado de ello fue simplemente reducir nuestra situación al último rigor de los elementos. La verdad es que ella no había visto nunca nada, ni siquiera la sombra de una sombra, y nadie en la casa, con excepción mía, se enfrentaba a ello; sin embargo, ella aceptó sin la menor duda acerca de mi cordura, la veracidad de mis palabras, y terminó mostrándome una gran ternura y una especial deferencia hacia ése que era mi cuestionable privilegio; la actitud de ella en aquellos momentos ha permanecido conmigo como la más dulce de las caridades humanas.

Lo que concluimos aquella noche fue que creíamos que podríamos llevar aquella carga juntas, y yo no estaba segura de que ella fuese a llevar una carga más ligera. Creo que entonces sabía muy bien, como comprobaría más tarde, que yo era capaz de enfrentarme a cualquier cosa para defender a mis pupilos; pero me llevó algún tiempo estar completamente segura de que mi honesta compañera estaba preparada para mantener los términos de un acuerdo tan comprometido. Yo era una compañía bastante rara para ella, igual que ella para mí; pero cuando reviso todo lo que hablamos aquella moche veo todos los puntos en común que hallamos en la idea de que, por suerte, *podía* afianzarnos. Fue la idea, el segundo movimiento, la que me extrajo, podría decir, de lo más recóndito de mi miedo. Al menos podía tomar el aire en el patio, y allá la señora Grose podía reunirse conmigo. Puedo recordar perfectamente ahora la forma en que adquirí fuerzas antes de que nos separásemos para irnos a dormir. Habíamos revisado una y otra vez todos los detalles de lo que yo había visto.

—¿Dice que estaba buscando a alguna otra persona..., a alguien que no era usted?

—Estaba buscando al pequeño Miles —dije sin dudarlo, como poseída por una portentosa claridad—. Era a *él* a quien andaba buscando.

—Pero, ¿cómo lo sabe?

—¡Lo sé..., simplemente lo sé! —dije muy excitada— ¡Y usted también lo sabe, querida!

Ella no lo negó, pero tuve la impresión de que no era necesario que lo hiciera. En seguida preguntó:

—¿Y qué ocurrirá si *él* lo ve?

—¿Si lo ve el pequeño Miles? ¡Eso es precisamente lo que quiere!

Entonces pareció de nuevo asustada en extremo.

—¿El niño?

—¡Dios no lo quiera! El hombre quiere aparecerse a ellos —El que pudiera conseguirlo era una idea horrible, y sin embargo, el que yo lo considerase significaba que podía mantenerla a raya, cosa que pude conseguir mientras estuvimos allí. Yo tenía la absoluta certeza de que volvería a verlo, pero algo en mi interior me decía que ofreciéndome yo como único sujeto de aquella experiencia, aceptando, invitando, superando todo aquello, yo misma serviría como víctima expiatoria y protegería la tranquilidad del resto de la casa. Era mi deber el mantener completamente al margen y absolutamente seguros a los niños. Recuerdo una de las últimas cosas que le dije aquella noche a la señora Grose.

—¡Me sorprende que mis pupilos nunca hayan mencionado...!

Ella me miró fijamente mientras yo permanecía pensativa.

—¿El que él hubiese estado aquí y el tiempo que permanecieron con él?

—Sí, el tiempo que estuvieron con él, y su nombre, su presencia, su historia, lo que fuera. Nunca han hecho la menor alusión a eso.

—Oh, la señorita Flora no lo recuerda. Ella nunca ha oído hablar de ello y no puede recordarlo.

—¿Las circunstancias de su muerte? Quizá no, pero Miles debería recordarlo..., Miles tendría que saberlo.

—¡Oh, no intente hacerlo hablar! —estalló la señora Grose.

Le devolví la mirada que me lanzó.

—No tema. El asunto es de por sí bastante extraño.

—¿Y también el que nunca haya hablado de ese hombre?

—Sí, nunca, ni la más leve alusión. Pero por lo que deduzco de lo que usted cuenta, ellos eran buenos amigos.

—¡Oh, no *él*! —declaró con énfasis la señora Grose. —Eso era lo que quería Quint, jugar con él; quiero decir..., mimarlo. —Hizo una pausa y luego añadió—: Quint se tomaba demasiadas libertades.

Aquello me hizo sentir una gran repugnancia, pues asociaba su posible conducta malévola con el rostro que yo había visto; entonces dije indignada:

—¿Demasiadas libertades con *mi* niño?

—¡Demasiadas libertades con todo el mundo!

Por el momento renuncié a analizar estas descripciones más allá del hecho de que podía aplicarse a varios miembros de la casa, la media docena de doncellas y sirvientes que eran parte de nuestra pequeña colonia: pero afortunadamente nadie recordaba algún hecho desagradable, ninguna perturbación que pudiera asociarse con la reputación de la casa. Nunca había tenido mal nombre ni mala fama, y la señora Grose, al parecer, lo único que deseaba era aferrarse a mí y temblar en silencio. Incluso la puse a prueba por última vez. Fue cuando, hacia la media noche, apoyó su mano en el picaporte del aula de estudio con la intención de marcharse.

—Así que dice usted, y quisiera reafirmarlo porque es un dato de gran importancia, que ese hombre era definitiva y reconocidamente *malo*.

—Oh, yo no diría "reconocidamente"; yo lo sabía..., pero el amo no.

—¿Y usted no se lo dijo nunca?

—Bueno, él siempre había dicho que no le gustaban las habladurías; sobre todo odiaba las quejas, era bastante tajante en eso; y si la gente le parecía bien a él...

—¿Entonces no se preocupaba de nada más? —Aquello cuadraba perfectamente con la impresión que me había causado; yo bien sabía que no era un caballero al que le gustaran los problemas, ni que se preocupara demasiado por algunas de sus compañías. De todos modos presioné a mi informante—: Le aseguro que yo se lo hubiera dicho.

Ella reconoció mi reproche.

—Sí, ahora creo que hice mal. Pero en realidad tenía miedo.

—¿Miedo?, ¿de qué?

—De las cosas que el hombre pudiera hacer. Quint era listo, era muy astuto.

Yo le di a esas palabras mucha más importancia de lo que probablemente demostré.

—¿Y no tenía miedo de ninguna otra cosa, de su *efecto*...?

—¿Su efecto? —repitió con un gesto de gran desconcierto, esperando mientras yo dudaba.

—El efecto de sus actitudes sobre dos pequeñas vidas inocentes. Ellos estaban a cargo de usted.

—¡No, ellos no estaban a mi cargo! —negó rotundamente, con inquieta voz—. El amo creyó en él y lo colocó aquí porque se suponía que no estaba muy bien de salud y el aire del campo le sentaría bien. Así que era él quien mandaba sobre todo. Sí —me hizo saber—, incluso sobre los niños.

—¿Ellos..., ese individuo? —Tuve que reprimir una especie de aullido—. ¿Y usted pudo soportarlo?

—No, no pude..., ¡y no puedo ahora! —Y la pobre mujer estalló en lágrimas.

A partir del día siguiente, como ya he dicho, se estableció un rígido control sobre los niños; sin embargo, durante muchos días volvimos apasionadamente a comentar sobre el tema; por mucho que lo hubiéramos discutido aquel domingo por la noche. Recuerdo que esa noche, como es natural, tampoco pude dormir, sobre todo porque me asaltaba la duda de que la señora Grose pudiera haberme ocultado información. Yo no me había guardado nada, pero sí hubo algo que la señora guardó para ella, pero por la mañana estaba segura de que no se trataba de falta de franqueza, sino del miedo que la acosaba desde todos lados. Examinando ahora las cosas en retrospectiva, me parece que el momento en el que se alzó el sol la mañana siguiente, yo había leído ya claramente en los hechos que teníamos delante casi todo el significado que se podía atribuir a los acontecimientos posteriores. Pero lo que me preocupaba por encima de todo era la siniestra figura del hombre vivo —¡el muerto podría esperar un poco!— y de los meses que había pasado en Bly, que al sumarlos ya formaban un tiempo considerable. El límite de aquel malhadado tiempo sólo llegó cuando, al amanecer de un día de invierno, Peter Quint fue hallado muerto por un campesino que iba a su trabajo, en la carretera que conducía al pueblo; aquella catástrofe era explicada —al menos superficialmente— por una herida visible en su cabeza; una herida como la que hubiera podido producir (y que de hecho, según las pruebas finales, había producido) su muerte, a consecuencia de un resbalón fatal que había sufrido al caminar desde la taberna hasta la empinada cuesta helada, un mal camino en cuyo fondo había sido encontrado. La pendiente cubierta de hielo, un giro mal hecho en plena noche y el alcohol ingerido explicaban muchas cosas; prácticamente, al final y tras la investigación, además de incontables chismes en el pueblo, todo quedó aparentemente explicado; pero había habido algunos asuntos en su vida, extrañas situaciones y peligros, desórdenes secretos, vicios más que sospechados, que hubieran dado lugar a una explicación mucho más completa del caso.

Apenas encuentro la manera de expresar mi historia con palabras que formen una imagen creíble de mi estado mental; pero debo decir que en aquellos días fui capaz de encontrar alegría en el extraordinario alarde de heroísmo que la ocasión me exigía. Ahora me daba cuenta de que se me había solicitado un servicio admirable y ciertamente difícil; y sería una gran cosa el poderlo demostrar —en el lugar adecuado—, sobre todo considerando que otras chicas habían fracasado en el intento. Me resultaba de inmensa ayuda —¡confieso que casi me aplaudí a mí misma al mirar atrás!— el que viera mi respuesta tan simple y a la vez enérgica. Yo estaba ahí para defender y proteger a los niños más desdichados y adorables del mundo, cuya indefensión se había vuelto de pronto terriblemente explícita, aquello se había convertido en un profundo dolor a causa del afecto que les tenía. Ahora estábamos juntos y aislados de todo lo demás, unidos en nuestro peligro. Ellos sólo me tenían a mí, y yo..., bueno, yo los tenía a ellos. En pocas palabras, era una magnífica oportunidad, misma que ahora se me presentaba de una manera intensamente objetiva. Yo era como una fortaleza, como una pantalla que se alzara delante de ellos. Cuanto más viera yo, menos verían ellos. Entonces comencé a vigilarlos con un ansiedad contenida, con una tensión disimulada, que si hubiera seguido demasiado tiempo hubiera podido convertirse muy bien en algo parecido a la locura; lo que me salvó, tal como lo veo ahora, fue que se convirtió en algo totalmente distinto. La incertidumbre no duró, pronto fue remplazada por horribles pruebas, y todo comenzó desde el momento en que me hice cargo de ello.

Eso se inició una tarde en la que salí a pasear por la propiedad con sólo la más pequeña de mis pupilos. Habíamos dejado a Miles dentro, sentado en el acolchado rojo de un sillón junto a la ventana; él había querido quedarse para terminar de leer un libro, y yo me había alegrado de alentar un propósito tan noble en un joven cuyo único defecto era un cierto exceso de inquietud. Su hermana, por el contrario, se había alegrado de salir, y estuve paseando con ella por más de media hora, buscando la sombra, porque el sol todavía estaba alto y el día era caluroso. Mientras caminábamos, yo era consciente una vez más de cómo, al igual que su hermano, conseguía —y ese era un rasgo encantador de ambos— dejarme sola sin parecer que me abandonaban, y acompañarme sin parecer que estaban encima de mí. Nunca eran pesados ni tampoco indiferentes. Mi atención hacia ellos consistía en ver cómo se divertían intensamente por su cuenta; ese era un espectáculo que ellos parecían preparar con todo cuidado, contando conmigo como espectadora, o admiradora activa. Yo caminaba en un mundo inventado por ellos, mientras que ellos no tenían ocasión de inspirarse en el mío, de modo que lo único que tenía que hacer yo era ser para ellos una persona o cosa notable que se necesitara para el juego del momento y que simplemente, gracias a mi superior y exaltada categoría, era una feliz y altamente distinguida tarea. He olvidado qué era en aquella ocasión, sólo recuerdo que era algo muy importante y muy tranquilo y que Flora jugaba muy entusiasmada. Nos encontrábamos al borde del lago y, como sea que últimamente habíamos empezado a estudiar geografía, el lago era el mar de Azov.

De pronto, entre esos elementos, me di cuenta de que al otro lado del "mar de Azov" se encontraba un espectador muy interesado. La manera en que se formó en mí ese conocimiento fue de lo más extraño del mundo; con excepción de la cosa mucho más extraña todavía en que después se transformó. Yo me había sentado con mi labor —porque mi papel en ese juego me permitía sentarme— en el viejo banco de piedra que dominaba el estanque; y en esa posición comencé a ser consciente, sin verla en realidad, de la presencia de una persona. Los viejos árboles, los densos matorrales, creaban una agradable sombra, pero todo estaba ya difuminado por el resplandor del calor de esa hora del día. Las cosas se presentaban limpiamente, sin ambigüedad alguna, al menos nada en absoluto en lo que respecta a la sensación de que al levantar la vista me encontraría con algo al otro lado del lago. Yo tenía los ojos fijos en la labor que estaba realizando, y pude sentir una vez más el espasmo de mi esfuerzo por no mover los ojos hasta que me hubiera tranquilizado lo suficiente como para decidir qué hacer. Había un objeto extraño a la vista, una figura cuyo derecho a estar ahí cuestioné de manera instantánea y apasionada. Recuerdo haber examinado perfectamente las posibilidades, tratando de convencerme que era más natural en ese momento que la aparición de uno de los hombres del lugar, tal vez de un mensajero, de un cartero, o de alguno de los chicos de recados del pueblo. Este recordatorio interno tuvo tan poco efecto sobre mi certeza práctica como sobre mi conciencia —incluso sin mirar— del carácter y la actitud de nuestro visitante. Nada era más natural que el hecho de que estas cosas fueran como las otras cosas que no lo eran en absoluto.

De la identidad positiva de la aparición me aseguraría tan pronto como el pequeño reloj de mi valor hubiera tictaqueado hasta el segundo preciso; mientras tanto, con un esfuerzo que ya era bastante intenso, transferí la mirada directamente a la pequeña Flora, que en esos momentos se encontraba a unos diez metros de mí. Mi corazón parecía haberse detenido por un instante con la incógnita y el terror de si ella también lo veía; y contuve el aliento mientras aguardaba un posible grito o una expresión cualquiera por parte de ella, cualquier cosa que me indicara lo que ella veía. Aguardé, pero no sucedió nada; entonces, en primer lugar —y pienso que hay algo más cruel en eso, que en cualquier otra cosa que tenga que relatar—, me sentí decidida por la impresión de que hacía un minuto todos los sonidos espontáneos procedentes de ella habían cesado; y en segundo lugar por la circunstancia de que también desde hacía un minuto, en su juego, ella se había puesto de espaldas al agua. Ésa era su actitud cuando finalmente la miré, con la confirmada convicción de que ambas nos encontrábamos todavía bajo un escrutinio personal y directo. Ella había recogido un trozo de madera que tenía en el medio un pequeño agujero, que evidentemente le había sugerido la idea de clavar otro fragmento que pudiera dar la idea de un mástil, para convertir aquella rama en un barco. Estaba intentando embonar ambos trozos de madera cuando la miré, y lo hice de una forma intensamente concentrada. El comprender lo que estaba haciendo me dio la fuerza necesaria para, al cabo de unos segundos, estar dispuesta a algo más. Entonces levanté otra vez los ojos..., y miré lo que tenía que mirar.

VII

Después de aquello acudí a la señora Grose tan pronto como pude y no me es posible dar un relato inteligible de cómo pasé ese intervalo; pero todavía puedo oírme llorar cuando me arrojé literalmente a sus brazos.

—¡Lo *saben*..., es demasiado monstruoso; lo saben, lo saben!

—¿Y qué demonios...? —capté su incredulidad mientras me abrazaba.

—¡Todo lo que sabemos nosotras..., y Dios sabe cuántas cosas más! —Luego, mientras ella me soltaba, se lo expliqué todo, y quizá sólo entonces lo pude entender yo misma con cierta coherencia—. Hace dos horas, en el jardín —apenas podía articular palabra—. ¡Flora lo vio!

La señora Grose escuchó mis palabras como si hubiera recibido un golpe en el estómago.

—¿Se lo ha dicho ella? —Jadeó.

—Ni una palabra..., ése es el horror que siento. ¡Se lo guardó para ella! ¡Una niña de ocho años, *esa* niña! —Todavía me sentía incapaz de expresar mi estupefacción.

Por supuesto, la señora Grose no podía hacer más que quedarse con la boca abierta.

—Entonces, ¿cómo lo sabe usted?

—Yo estaba ahí..., lo vi con mis propios ojos, y vi también que ella se daba cuenta perfectamente.

—¿Quiere decir que ella se daba cuenta de la presencia de *él*?

—No, se daba cuenta de la presencia de *ella* —Yo lo entendí perfectamente, mientras hablaba, de que mi aspecto debía ser increíble, porque vi su tenue reflejo en el rostro de mi compañera—. Esta vez se trataba de otra persona; era una figura de un horror y una malignidad igual de marcadas: era una mujer vestida de negro, pálida y terrible, ¡con un aspecto y un rostro...! Ella se encontraba de pie al otro lado del lago. Yo estaba con la niña, perfectamente tranquila, y aquella figura apareció de pronto.

—¿Apareció, de dónde?

—¡De donde sea que vienen! Simplemente apareció y se quedó allí de pie..., pero bastante lejos.

—¿Y no se acercó más?

—Por el efecto y las sensaciones que me causó, ¡hubiera podido estar tan cerca como usted ahora!

Como movida por un extraño impulso, mi amiga retrocedió un paso.

—¿Era alguien a quien usted hubiera visto alguna vez?

—Nunca. Pero es alguien a quien la niña sí ha visto. Es alguien a quien *usted* ha visto. —Luego, para demostrar que lo había comprendido todo—: Se trata de mi predecesora, la que murió.

—¿La señorita Jessel?

—La señorita Jessel, sí. ¿No me cree?

En su estado de inquietud, se volvió a la derecha y a la izquierda.

—¿Cómo puede usted estar segura?

Aquella pregunta me provocó un colapso en los nervios, un estallido de impaciencia.

—¡Entonces pregúnteselo a Flora... ¡Ella está segura! —Apenas había dicho aquello cuando me arrepentí— ¡No, por el amor de Dios, *no lo haga*! Dirá que no es ella..., ¡mentirá!

La señora Grose no se encontraba en condiciones anímicas de protestar.

—Oh, ¿pero cómo puede usted estar tan segura?

—Porque estoy convencida de que Flora no quiere que lo sepa.

—Tal vez sea sólo para que no se preocupe.

—¡No, no; hay algo mucho más profundo en esto, mucho más profundo! Cuanto más pienso en ello más veo, y cada vez siento más miedo. ¡Yo no sé lo que *no* veo, lo que no puedo temer!

La señora Grose intentó comprenderme.

—¿Quiere decir que tiene miedo de volver a verla?

—¡Oh, no, eso no me importa ahora! —y entonces le expliqué—: Lo que temo es *no verla*.

Pero mi compañera pareció aún más desconcertada.

—No entiendo.

—Bueno, es que la niña puede seguir haciéndolo..., y sé que *lo hará* sin que yo lo sepa.

Ante la imagen de esa posibilidad, la señora Grose se derrumbó por un momento, pero luego se rehizo de nuevo, como si comprendiera que, si cedíamos aunque sólo fuera por un milímetro, no habría nada que hacer.

—Oh, querida... ¡Debemos mantenernos serenas! Y después de todo, no importa... —intentó hacer una lúgubre broma—. ¡Quizá le guste!

—¿Gustarle esas cosas?..., ¿a una niña pequeña?

—¿Acaso no sería una prueba de su bendita inocencia? —inquirió valientemente mi amiga.

Por un momento estuvo a punto de convencerme.

—Oh, debemos aferrarnos a *eso*..., ¡debemos hacerlo! Si no es una prueba de lo que usted dice, por lo menos es una prueba de..., ¡Dios sabe de qué! Porque la mujer es el horror de los horrores.

Ante aquello, la señora Grose clavó un minuto sus ojos en el suelo, y finalmente volvió a alzarlos.

—Dígame cómo lo sabe —inquirió.

—Entonces, ¿admite que era ella? —exclamé.

—Dígame cómo lo sabe —repitió mi amiga.

—¿Saberlo? ¡Viéndola! Por la forma como miraba.

—¿Cómo la miraba a usted?... Quiere decir, ¿perversamente?

—¡Dios mío, no!..., yo no hubiera podido resistirlo. A mí no me dirigió ninguna mirada. Sus ojos sólo estaban fijos en la niña.

La señora Grose intentó captar el significado de aquello.

—¿La miraba fijamente?

—Sí, ¡y con unos ojos terribles!

Me contempló como si mis ojos pudieran parecerse realmente a aquellos.

—¿Quiere decir con aversión?

—¡Dios nos proteja, no! Pero tal vez con algo peor.

—¿Peor que la aversión? —Aquella declaración le causaba una gran inquietud.

—Con una determinación... Indescriptible. Con una especie de intención concentrada.

Mis palabras la hicieron palidecer.

—¿Intención?

—Quiero decir: intención de apoderarse de ella —La señora Grose me miró unos instantes..., luego se estremeció y se dirigió a la ventana, y mientras ella permanecía mirando al exterior, terminé mi afirmación—: *Eso* es lo que sabe Flora.

Tras unos instantes, se volvió en redondo.

—¿Dice usted que la mujer vestía de negro?

—Sí, como si estuviera de luto..., pero su atuendo era más bien pobre, casi raída; pero se trata de una mujer de una belleza extraordinaria —Entonces comprendí que finalmente, paso a paso, yo la estaba haciendo víctima de mi confidencia, pues para ella aquello tenía mucho peso—. Sí, extraordinariamente bella—insistí—; hermosa..., pero infame.

La señora regresó lentamente a mi lado

—La señorita Jessel..., era una mujer infame —Tomó de nuevo mi mano entre las suyas, sujetándola tan fuertemente como si quisiera fortalecerme contra el incremento de la alarma que podía producirme su revelación—. Ambos eran infames —finalmente dijo.

Durante un cierto tiempo nos enfrentamos a ello juntas, y yo sentí un absoluto alivio al hacerlo ahora de una forma tan directa.

—Aprecio su gran decencia —dije— al no mencionarlo antes; pero creo que ha llegado el momento de contármelo absolutamente todo —Ella pareció asentir, pero solamente en silencio, así que yo proseguí—: Es necesario que yo sepa de qué murió ella... ¿Había algo entre ellos?

—Había todo.

—¿Pese a la diferencia?

—De rango, de condición... —lo dijo con cierto pesar—. Ella era una dama.

Recordé aquella imagen y asentí.

—Sí..., era una dama.

—Y él estaba absolutamente por debajo —dijo la señora Grose.

Entonces yo comprendí que indudablemente no necesitaba insistir demasiado, en tal compañía, en el lugar que ocupaba un sirviente en la escala social; pero no había nada que impidiera aceptar la medida de mi compañera de la forma en que se había rebajado mi antecesora. Había una forma de ocuparse de ello, y yo la usé. Era la más fácil para proporcionar una visión completa —basada en las evidencias— del difunto "hombre de confianza", apuesto e inteligente; de nuestro patrón, atrevido, seguro de sí mismo, corrompido, depravado.

—El hombre era un canalla.

La señora Grose consideró el asunto como si fuera necesario establecer algunos matices.

—Nunca he visto a nadie como él. Hacía lo que quería.

—¿Con ella?

—Con todo el mundo.

Fue como si ahora hubiera aparecido ante los ojos de mi amiga la propia señorita Jessel. Era como si en ese instante estuviese evocando su figura con tanta claridad como yo la había visto junto al estanque; entonces dije con decisión:

—¡Y también tuvo que ser porque ella quería!

El rostro de la señora Grose dio a entender que así había sido, pero dijo al mismo tiempo:

—¡Pobre mujer!..., ¡pagó por ello!

—Entonces, ¿sabe de qué murió? —pregunté.

—No... no sé nada. No quise saberlo; me alegré de no saberlo; ¡y di las gracias al cielo de haberme mantenido lejos de todo aquello!

—Pero tendrá usted alguna idea...

—¿De su auténtica razón para marcharse? Oh sí..., eso sí. En realidad no hubiera podido quedarse. Imagine lo que era eso..., ¡para una institutriz! Y yo después me puse a imaginar cosas, y todavía me las sigo imaginando; lo que imagino es horrible.

—No tan horrible como lo que imagino yo —repliqué; y al hacerlo me di cuenta de que debí mostrarme delante de ella como una persona vencida, lo que atrajo de nuevo toda su compasión hacia mí, y ante sus nuevas muestras de cariño y bondad mi resistencia se rompió totalmente. Estallé en lágrimas del mismo modo que otra vez la hice llorar a ella; entonces me atrajo hacia sí en forma maternal, y yo di rienda suelta a mis lamentaciones—. ¡No lo consigo! —dije entre sollozos—. ¡No puedo salvarlos ni protegerlos! Esto es peor de lo que hubiera podido imaginar. ¡Están perdidos!

VIII

*L*o que había dicho a la señora Grose era completamente cierto; en lo que había expuesto en esa ocasión había honduras y posibilidades que yo no tenía el valor suficiente para explorar; así que cuando nos reunimos de nuevo decidimos de común acuerdo que no debíamos dejarnos llevar por ideas extravagantes. Teníamos que conservar nuestras cabezas frías aunque fuera lo único que pudiéramos conservar ante un caso tan extraordinario como el que se nos presentaba. Más tarde aquella misma noche, mientras la casa dormía, tuvimos otra charla en mi habitación; en ella dejó claro más allá de toda duda que creía realmente que yo había visto lo que decía que había visto. Descubrí que para que ella lo admitiera sólo tenía que preguntarle cómo, si yo hubiera inventado todo aquello, era capaz de describir las personas que se me aparecieron hasta sus mínimos detalles, sus características y sus marcas especiales, y que fue por esa descripción que ella lo había reconocido sin lugar a dudas. Ella deseaba —y de eso no podía culparla—, olvidar para siempre todo el asunto; pero yo me apresuré a asegurarle que mi interés en todo aquello no era otra cosa sino buscar la manera de escapar de esas apariciones. Le indique la posibilidad de que si se repetía el fenómeno —que era algo que yo daba por sentado—, podría llegar a acostumbrarme al peligro; y dejé claro que mi exposición personal a ese riesgo se había convertido en la menor de mis preocupaciones. Era mi nueva sospecha la que resultaba intolerable; y sin embargo, incluso esta complicación me había traído cierto alivio en las últimas horas del día.

Al marcharme, después de aquella primera entrevista, por supuesto había regresado junto a mis pupilos, buscando el remedio correcto para mi estado de ánimo, con esa sensación de encanto que ya había reconocido como un recurso que podía cultivar positivamente y que nunca hasta entonces me había fallado. En otras palabras, me había sumergido en ese mundo especial de Flora y ahí me había dado cuenta —lo que era casi un lujo— de que podía colocar su pequeña mano directamente sobre el punto que más dolía. Ella me había mirado con un semblante de dulzura mezclado con incertidumbre y luego me había acusado directamente de "haber llorado". Yo había supuesto que había borrado los signos más llamativos de mi llanto, pero pude regocijarme —al menos por un tiempo—de que no hubieran desaparecido por completo y que yo me pudiese refugiar en aquella insondable caridad de la niña.

Contemplar las profundidades azules de los ojos de Flora y afirmar que su encanto no era más que un truco de astucia prematura era declararse culpable de un cinismo frente al cual, naturalmente, yo preferí abjurar de mi juicio, y en la medida que fuese posible, también de mi excitación. Yo no podía abjurar de desearlo simplemente, pero podía repetirle a la señora Grose —como realmente hice una y otra vez a altas horas de la noche— que mientras oyéramos las voces de nuestros pequeños amigos en el aire, la presión de ellos sobre nuestros corazones y sus fragantes rostros contra nuestras mejillas, nada podría dañarnos. Era una lástima que para remediar aquello de una vez por todas iba a tener que recordar minuciosamente los sutiles signos gracias a los cuales, por la tarde y junto al estanque, había producido el milagro de que yo pudiera mantener mi autocontrol. Era una pena el verme obligada a reinvestigar la certeza del momento mismo y repetir cómo había llegado hasta mí como una revelación de que la inconcebible comunión que descubrí tenía que ser por ambas partes un asunto de hábito. Era una lástima que me viera obligada a examinar de nuevo las razones por las cuales, en mi ilusión, llegara a cuestionarme que la niña veía a nuestra visitante como en cualquier momento yo veía a la señora Grose, y que deseaba, por esa misma razón, hacerme suponer que no la veía, y al mismo tiempo, sin mostrar nada, conseguir adivinar si yo la veía o no. Fue una lástima que necesitara recapitular las poderosas pequeñas actividades con las cuales intentó desviar mi atención, el perceptible incremento de los movimientos, la gran intensidad de sus juegos, sus canciones, su balbucear tonterías y la invitación a correr de un lado para otro.

Sin embargo, si no me hubiera dedicado a ello para demostrar que no había nada en todo el asunto, hubiera perdido los dos o tres pequeños elementos de consuelo que todavía tenía a mi favor. No hubiera podido, por ejemplo, afirmar que mi amiga estaba segura —lo que ya era mucho— de que yo al menos no me había traicionado a mí misma. No me hubiera sentido impulsada ni por la necesidad ni por la desesperación —apenas sé cómo llamarlo— a invocar toda ayuda que necesitaba para poner a mi colega contra la pared. Me había dicho poco a poco, y siempre bajo presión, muchas cosas, pero había aún un punto que se me escapaba y que a veces rozaba mi frente como el ala de un murciélago; y recuerdo cómo en aquel momento —porque la casa dormida y la concentración de nuestro peligro y nuestra vigilia parecían ayudar— sentí la importancia de dar un último tirón a la cortina.

—No puedo creer en algo tan horrible —recuerdo haber dicho—; no, se lo digo claramente, querida, no lo puedo creer. Pero si acaso pudiera, hay algo que tendría que pedirle que me dijera sin ahorrar detalle..., ni una pizca. ¿Qué fue lo que tenía en la cabeza cuando, en medio de nuestra aflicción sobre la carta de la escuela, antes de que Miles volviera, me dijo que usted no pretendía decir que *nunca* él hubiera sido literalmente "malo"? La verdad es que en las semanas que llevo viviendo con él y lo he podido observar muy de cerca, nunca he sentido que pudiera ser realmente malo en algún sentido; al contrario, es un pequeño prodigio de imperturbable bondad. En consecuencia, usted no tenía ninguna necesidad de haber afirmado aquello si no hubiera visto, como ocurrió, una excepción a lo que decía. ¿Cuál es esa excepción, y a qué parte de su observación personal del niño se refería?

Era una pregunta bastante directa, pero la ligereza no era nuestra característica. Antes de que los primeros grises del alba nos indicaran que debíamos separarnos, obtuve mi respuesta. Lo que mi amiga había tenido en la cabeza resultó tener mucho que ver con todo aquello. No era ni más ni menos que el hecho en particular de que, por un periodo de varios meses, Quint y el niño habían permanecido juntos todo el tiempo. Aquello era tan digno de tomarse en cuenta que se había atrevido a cuestionar la conveniencia de decírmelo, pues señalaba una alianza muy estrecha y a todas luces extraña. La señora Grose había preguntado a la institutriz qué pensaba hacer al respecto, y la señorita Jessel, de mala manera, le había contestado que se ocupara de sus propios asuntos, así que la buena mujer había abordado el asunto directamente con el pequeño Miles, y lo que le dijo —cuando la presioné para que me lo contara—, fue que a ella le gustaría que el señorito no olvidara su condición.

Por supuesto, yo la presioné sobre este punto.

—¿Le recordó que Quint era sólo un sirviente de baja extracción?

—¡Pude decirlo!; pero lo que en realidad consideré malo, en primer lugar, fue la respuesta del niño.

—¿Y en segundo lugar? —repliqué— ¿Le repitió sus palabras a Quint?

—No, eso no. Eso es precisamente lo que *no haría*. —me desconcertó su comentario— Sin embargo, de todos modos me aseguré —añadió—, de que no mantuviera esa estrecha relación con el niño. Pero él negó ciertas cosas.

—¿Qué coas?

—Como el hecho de que Quint se ocupaba del niño como si él fuera su tutor, mientras que la señorita Jessel se ocupaba solamente de la niña, y salía a menudo con ese individuo, quiero decir que pasaba muchas horas con él.

—¿Inventó alguna excusa..., dijo que no era cierto? —su asentimiento fue lo bastante enérgico como para hacerme añadir al momento—: así que simplemente mintió.

—Oh —murmuró la señora Grose, y era como si sugiriera que aquello no importaba, lo que confirmó con otra observación—. Pero quiero que me entienda, después de todo, a la señorita Jessel no le importaba en lo más mínimo la conducta de Quint.

Medité sobre aquello.

—¿Le dijo eso a usted como una justificación?

Ante aquello se hundió de nuevo.

—No, la verdad es que nunca habló de ello.

—¿Ella no le habló de su relación con Quint?

Enrojeció visiblemente cuando vio hacia dónde apuntaba yo

—Bueno, no dijo nada, lo negó —y reiteró—, lo negó. ¡Cómo la presioné entonces!

—¿Así que ella pudo entender que usted sabía lo que ocurría entre ellos?

—No lo sé... ¡No lo sé! —dijo la pobre mujer en un gemido.

—Yo me atrevo a decir que sí lo sabe, querida —respondí—; sólo que no tiene mi atrevimiento, y prefiere callar por timidez o delicadeza, incluso lo que tuvo que sufrir en el pasado, cuando sin mi ayuda tenía que enfrentarse a todo usted sola y en silencio, todo aquello que la hacía sentir miserable. ¡Pero yo voy a lograr que me lo diga! ¿Había algo en el niño —seguí— que le sugería que encubría y ocultaba su relación?

—Oh, él no podía impedir...

—¿El que averiguara usted la verdad? ¡Apuesto a que sí! Pero, por Dios —me dejé llevar por el entusiasmo— ¡Eso demuestra, hasta cierto punto, lo que habían conseguido hacer de él!

—¡Oh, nada que *ahora* no esté bien! —dijo la señora Grose, con cierta lobreguez—

—No me sorprende que su actitud fuera tan extraña —insistí—cuando mencioné la carta de la escuela.

—Dudo que fuera más extraña que la suya —contraatacó con fuerza—. Y si entonces era tan malo como parece ¿por qué es ahora un ángel?

—Sí, es cierto, si acaso era un demonio en la escuela..., ¿cómo?, ¿cómo?... —me sentía atormentada por la duda—. Tiene que hablarme de nuevo de ello; aunque yo no podré decirle nada durante unos días. ¡Simplemente vuelva a hablarme de ello! —exclamé con una fuerza que hizo que mi amiga me mirara fijamente—. Hay direcciones hacia las que preferiría no ir por el momento. —Volví entonces al primer ejemplo, al mismo que ella había referido hacía un momento, el de la posibilidad de que el niño se comportara ocasionalmente de una forma malévola—. Si Quint, por lo que me ha dicho, era un criado de baja extracción, supongo que una de las cosas que Miles debió decirle es que usted también lo era. —De nuevo su silencio pareció una confirmación, por lo que yo seguí—: ¿Le perdonó usted eso?

—¿No lo haría usted?

—¡Oh, sí! —y ahí, en medio de esa tensión, intercambiamos la más extraña de las risas. Luego proseguí—: De todos modos, mientras él estaba con el niño...

—La señorita Jessel estaba con la niña. ¡Así todo les iba bien a todos!

Tuve la sensación de que también me iba bien a mí, sólo que demasiado bien; con lo cual quiero decir que encajaba perfectamente con la terrible visión que en aquellos momentos intentaba rechazar por todos los medios. Pero hasta entonces tuve tanto éxito en ocultarla que no ofreceré aquí ninguna otra luz que pueda extraerse de mi última observación a la señora Grose.

—El hecho de que mintiera y se mostrara tan descarado, confieso, es una muestra menos alentadora de la que había esperado de usted respecto al despertar del hombrecito que hay dentro de él. De todos modos —medité—, tendré que conformarme con lo que hay, porque cada vez me encuentro más convencida de que debo permanecer alerta y no precipitar las cosas.

Al minuto siguiente, enrojecí cuando vi en el rostro de mi amiga la forma mucho menos reservada con la que ella lo había perdonado, seguramente mucho más de lo que me hubiese permitido yo, a pesar de mi ternura. Eso lo comprobé cuando al marcharse la señora, y en la puerta del aula de estudio, me dijo:

—Seguramente no va usted a *acusarlo*...

—¿De mantener una relación que me oculta? Oh, recuerde que, hasta que haya más pruebas, yo no acuso a nadie —Luego, antes de cerrar la puerta tras ella, añadí—: Lo único que debo hacer es esperar.

IX

*E*speré y esperé, y los días se fueron, llevando a su paso algo de mi consternación. De hecho, bastó que pasaran unos pocos, a la vista constante de mis pupilos y sin que ocurriera nada nuevo, para borrar de mi memoria, como cuando se aprieta una esponja, los tristes incidentes e incluso los odiosos recuerdos. Ya antes me he referido a la extraordinaria gracia infantil de mis pupilos como algo que podía promover activamente por mí misma, y por supuesto yo no podía desaprovechar aquella fuente de alivio que para mí era como un bálsamo. Resulta extraño expresar en palabras lo que significaba para mí el luchar contra mis nuevos conocimientos y experiencias. Sin embargo, la tensión hubiera sido mucho mayor si no hubiera tenido éxito con mucha frecuencia. Yo me maravillaba de que los pequeños alumnos no adivinaran las extrañas cosas que pensaba sobre ellos, y las circunstancias de que estas cosas no eran una ayuda directa para mantenerlos en la ignorancia. Lo que yo más temía era que ellos se dieran cuenta de que para mí se habían vuelto mucho más interesantes que antes. Poniendo las cosas del lado de lo peor, como hacía tantas veces en mis meditaciones, cualquier duda sobre su inocencia sólo podía ser —libres de toda culpa, o condenados, como estaban alternativamente— una razón más para correr riesgos. Había momentos en los que sentía el irresistible impulso de tomarlos entre mis brazos y apretarlos contra mi corazón; y tan pronto como lo había hecho me preguntaba: "¿qué pensarán ellos de esto?, ¿no me estoy traicionando demasiado?". Hubiera sido más fácil perderme en tristes y alocadas conjeturas acerca de cuánto podía llegar a traicionar; pero tengo la sensación de que el auténtico beneficio de las horas de paz que todavía pude disfrutar fue que el inmediato encanto de mis compañeros era una ilusión efectiva incluso bajo la sombra de la posibilidad de que fuera estudiada. Porque se me ocurrió que ocasionalmente podía despertar sospechas con los pequeños estallidos de mi más aguda pasión por ellos, y también me preguntaba si no era un hecho extraño el notable incremento de sus propias demostraciones de cariño.

En aquel periodo ellos se mostraban encariñados conmigo de una manera que parecía extravagante; lo cual, después de todo, no era sino una respuesta infantil digna de agradecer en unos niños constantemente mimados y abrazados. Este homenaje que con tanta abundancia me prodigaban tenía unos efectos balsámicos para mis nervios, y yo no quería dar a esas manifestaciones otra posible interpretación, y en realidad creo que nunca habían deseado hacer tantas cosas por su pobre preceptora; quiero decir que, además de estudiar sus lecciones mejor cada vez, que era lo que más me complacía, procuraban divertirme, entretenerme, sorprenderme, leyéndome párrafos de un libro, contándome historias, interpretando escenas graciosas o disfrazándose de animales o personajes históricos, y sobre todo, sorprendiéndome con las "piezas" que había aprendido de memoria en secreto y que podían recitar interminablemente. Nunca llegaría al fondo —ni siquiera si lo pretendiera ahora— de los prodigiosos comentarios con los que en aquellos días marcamos mutuamente nuestras horas. Desde el principio me habían demostrado una gran capacidad para todo, una aptitud general que, una vez puesta en marcha, alcanzaba alturas notables. Realizaban sus pequeñas tareas como si les encantaran; se dedicaban, por su mero placer, a los más espontáneos pequeños milagros de la memoria. No sólo se me aparecían de repente como si fueran tigres o romanos, sino como personajes shakespeareanos, astrónomos o navegantes. Todo esto, singularmente, era algo que supongo que tenía mucho que ver con un hecho que, hasta el presente no he conseguido explicar, y que es esa calma poco natural con la que abordé el tema de buscar otra escuela para Miles. Lo único que recuerdo es que por aquellas fechas me sentía satisfecha de no abordar la cuestión, y que esa satisfacción debió surgir del hecho de que a cada momento el niño me sorprendía con sus muestras de inteligencia; él era demasiado listo para que una mala institutriz, hija de un párroco, lo estropeara todo, y el hilo más extraño si no es que el más brillante, en el bordado de ideas que acabo de mencionar era la impresión que hubiera podido captar, si me hubiera atrevido a elaborarla, de que en realidad él se hallaba bajo la influencia externa que actuaba sobre su pequeña vida intelectual de una manera determinante.

Sin embargo, era fácil suponer que un niño con esas capacidades bien podía posponer la escuela, pero no era comprensible que un niño así hubiera sido expulsado deshonrosamente. Quiero añadir que mientras estaba en su compañía —y yo procuraba que fuera constantemente— no me era posible seguir pistas hasta muy lejos. Vivíamos envueltos por una nube de afecto, de juegos y representaciones de teatro privadas. El sentido musical de cada uno de los niños era de lo más agudo, pero era Miles el que tenía unas dotes maravillosas para captar y reproducir los sonidos. El piano del aula resonaba con los más extravagantes caprichos; y cuando no era eso, eran confabulaciones en los rincones, de donde uno de ellos salía teatralmente, para volver a hacer su entrada en el papel de otro personaje. Yo también había tenido hermanos, y sabía muy bien que las niñas pequeñas pueden generar una gran admiración por los hermanos varones mayores que ellas. Pero lo que me sorprendía en este caso es que hubiera en el mundo un niño que tuviera tales consideraciones hacia alguien de edad, sexo e inteligencia inferiores. Ellos estaban extraordinariamente unidos, y tal vez decir que nunca se peleaban es un elogio muy tosco e insuficiente para expresar la dulzura con la que se trataban. Muchas veces (sobre todo cuando yo caía en cierta simpleza) ellos hacían pequeñas confabulaciones, y entonces uno me mantenía ocupada, mientras que el otro se deslizaba a hurtadillas y desaparecía. Supongo que aquellos eran juegos ingenuos, pero el caso era que mis pupilos los practicaban con mucho sigilo y diplomacia, procurando no ser groseros conmigo. Fue por otro lado que, tras una tregua, se presentó la rudeza en sus actitudes.

Me cuesta mucho trabajo expresar todo esto y seguir narrando estas cosas que se fueron convirtiendo en verdaderas atrocidades, todo aquello que desafía la fe más liberal, lo que en realidad poco me importa, más bien lo que me afecta es que revive los sufrimientos que padecí, sin embargo he de recorrer todo el camino hasta el final. Llegó entonces un momento tras en cual, cuando miro hacia atrás, siento que en realidad todo el asunto estuvo marcado por el sufrimiento, pero al menos yo había llegado al corazón de los niños, y el único camino para manejar todo aquello era seguir adelante. Una noche —sin que nada me predispusiera para ello— sentí el frío contacto de la misma impresión que había recibido la noche de mi llegada y que, al ser tenue e indefinida en la primera ocasión, como ya he dicho, hubiera quedado poco grabada en mi memoria si las cosas que ocurrieron posteriormente no la hubieran reforzado. Aquella noche todavía no me había ido a la cama y estaba sentada leyendo a la luz de un par de velas; hay que decir que en Bly había una biblioteca llena de libros viejos; algunos de ellos eran novelas del siglo pasado que, aunque rodeadas de cierta mala fama, no eran demasiado escandalosas como para ser intolerables en la casa, pero que despertaban en mí cierta morbosa curiosidad a causa de mi juventud. Recuerdo que el libro que en aquella ocasión tenía entre mis manos era el *Amelia* de Fielding, y también debo decir que yo estaba completamente despierta. Además, tengo la convicción general de que ya era muy tarde, aunque yo me negaba a constatarlo en el reloj. Finalmente, imagino que la cortina blanca, muy de moda en aquellos tiempos, que rodeaba la cabecera de la camita de Flora, protegía, como bien me había asegurado, el buen descanso de la niña. En pocas palabras, recuerdo que yo me encontraba muy interesada en el libro y, al volver la página, curiosamente mis ojos se despegaron de la lectura y se posaron en la puerta de la habitación. Hubo un momento en que me pareció escuchar, con la misma débil impresión que había recibido la primera noche, que había un indefinible movimiento por la casa, y al mismo tiempo noté un suave soplo en la ventana abierta, que agitó un poco la persiana a medio bajar. Luego, con todas la señas de una determinación que hubiera parecido magnífica de haber alguien ahí para admirarla, deposité mi libro en la mesita, me puse de pie, y tomando una de las velas, salí de la habitación y, desde el pasillo, cerré la puerta con llave sin hacer ruido.

No puedo decir ahora lo que me decidió a realizar aquello, pero recuerdo que recorrí resueltamente el pasillo, manteniendo alta la vela, hasta que llegué a la vista de la gran ventana que presidía el rellano de la escalera; y fue ahí donde me di cuenta de tres cosas, lo que ocurrió de manera simultánea, aunque en forma de tres destellos sucesivos. Mi vela, con un leve chisporroteo, de pronto se apagó, y entonces percibí, a través de la ventana, las primeras luces de la madrugada, que se filtraban por los cristales de la ventana y hacían innecesaria la luz de la vela; al instante siguiente, de alguna manera supe que había una presencia en la escalera. Hablo de secuencias, pero en realidad no pasó ni un segundo que me permitiera prepararme para el tercer encuentro con Quint. La figura había alcanzado casi el rellano de la escalera, por lo que se hallaba en el punto más cercano a la ventana; al verme se detuvo en seco, mirándome exactamente de la misma forma en que lo había hecho desde la torre y desde el jardín. Estoy segura de que me reconoció tanto como yo lo reconocí a él; y así, en el río del amanecer, con un destello en los altos cristales y otro en el pulido roble de la escalera, nos miramos intensamente el uno al otro. En esa ocasión él era completamente una presencia viva, detestable y peligrosa; pero no era la visión lo que más me maravillaba, sino el hecho de que en esos momentos yo no sentía el mínimo asomo de miedo, por lo que me sentía perfectamente capaz de enfrentarlo y si fuese necesario medirme con él.

Tras aquel momento extraordinario se produjo en mí una intensa angustia, pero afortunadamente, nada que me llevara al pánico. Y estoy segura de que él se dio cuenta de mi estado de ánimo; de alguna manera fui consciente de ello. En un acceso de confianza en mí misma, sentí que si mantenía mi actitud un minuto más dejaría, al menos por un momento, de tener que tomarlo en cuenta, y en consecuencia, durante ese minuto, la cosa fue tan humana, a pesar de lo horrible, como una entrevista entre dos personas normales, y la parte horrible del asunto era que tenía todas las características de un encuentro humano, aunque humano en el sentido de encontrase a solas, en una casa dormida y en silencio total, con un enemigo, tal vez algún aventurero, un criminal. Era el mortal silencio de nuestra mirada en aquel estrecho espacio lo que se presentaba como algo horrendo, y era aquello lo único que presentaba una seña de algo sobrenatural. Si me hubiera encontrado con un asesino en un lugar así, y en esa hora de la madrugada, por lo menos tendría el recurso de hablar; algo hubiera ocurrido entre dos personas vivas, y aunque no hubiera pasado nada, por lo menos uno de nosotros se hubiera movido. El momento se prolongó tanto que se hubiera necesitado muy poco más para que yo misma hubiera dudado de estar viva. Lo que pasó después no podría explicarlo sino diciendo que el propio silencio —que en cierto modo era la afirmación de mi fuerza— se convirtió en un elemento en el cual vi desaparecer la figura, en el cual lo vi darse la vuelta, como si aquél, que había sido un canalla, hubiera respondido a mis deseos, como aceptando y ejecutando una orden; entonces me volvió la espalda y bajó la escalera hasta adentrarse en la oscuridad y desaparecer en el siguiente recodo.

X

*Y*o permanecí durante un rato en mi posición en la escalera, pero ahora con el convencimiento de que mi visitante había respondido a mi presión y se había ido, se había ido realmente. Entonces regresé a mi habitación, y lo primero que vi allí, a la luz de la vela que había dejado encendida, fue que la camita de Flora estaba vacía, y aquello me hizo contener el aliento y experimentar todo el terror que, cinco minutos antes, había sido capaz de contener. Entonces me lancé hacia el lugar donde la había dejado dormida y pude observar que, aunque las sábanas se encontraban desordenadas, se habían corrido las cortinas blancas para disimular; mis pasos, con un extraño alivio por mi parte, produjeron un sonido como respuesta, y entonces observé una agitación en la persiana de la ventana, y la niña emergió de detrás de ella. Se quedó ahí, de pie, candorosamente impávida en su pequeño camisón, con sus rosados pies desnudos y con un resplandor en sus dorados rizos. Se mostraba muy seria, casi adusta; yo nunca había sentido una impresión tan clara de haber perdido una ventaja adquirida (que yo consideraba el acontecimiento de la escalera) como cuando, en vez de disculparse, me dirigió un reproche:

—¡Ha sido mala! ¿Dónde estaba?

Así que, en vez de regañarla yo por su conducta, era yo la regañada y tenía que dar explicaciones; aunque ella también se justificó, a su manera y con la más encantadora de las simplicidades: estando en la cama se había dado cuenta de que yo había salido de la habitación, y se había levantado para ver dónde me encontraba. Yo me sentía tranquila por su reaparición y me dejé caer en mi sillón para relajarme un poco; hasta entonces me sentí mareada; recuerdo que cerré los ojos un instante, rindiéndome conscientemente, como antes, a la evidencia de algo hermoso, que brillaba por sí mismo.

—¿Fuiste a la ventana para buscarme? —le pregunté—. ¿Pensaste que podría estar paseando por allá afuera?

—Bueno, yo sentí que había alguien caminando allá afuera —me dijo, sin palidecer ni un instante y con una sonrisa.

Yo la miré con mucha intensidad.

—¿Y no viste a nadie?

—¡Oh, no! —dijo casi con decepción, aplicando su privilegio de la inocencia infantil, aunque había una gran dulzura en sus palabras.

En el estado de nerviosa alerta en que me encontraba en aquellos momentos, yo estaba completamente segura de que mentía, y cerré los ojos ante el desconcierto que me provocaba el discernimiento de las tres o cuatro formas con las que podía enfrentarme a aquello. De pronto una de esas alternativas me tentó de manera tan singular que, para resistirme, tuve que abrazar a la niña con un espasmo al que, sorprendentemente, se sometió sin un grito o signo alguno de estar asustada.

¿Por qué no preguntárselo allí mismo y terminar de una vez por todas con mis dudas?; ¿por qué no decírselo directamente en su carita iluminada?

"Tú sabes lo que pasa y sospechas que yo lo sé también, así que ¿por qué no me confiesas francamente lo que sabes para que las dos vivamos con eso y podamos llegar a entender de qué se trata?"... Pero la determinación de hablar de esa manera con la niña desapareció tal como había venido; si hubiera sucumbido a ese deseo, tal vez me hubiera ahorrado..., bueno, ya sabrán lo que me hubiera ahorrado. Pero en vez de plantear las cosas directamente, me puse de pie, miré hacia su cama y opté por un término medio que no solucionaba nada.

—¿Por qué corriste la cortina sobre la cama para hacerme creer que todavía estabas en ella?

Flora lo pensó un rato, y luego, con su luminosa sonrisa, me dijo:

—¡Yo no quería asustarla!

—Pero, si creías que me había ido...

Rechazó absolutamente el dejarse desconcertar y volvió los ojos a la llama de la vela como si la pregunta no tuviera nada que ver con aquello, o en todo caso fuera tan impersonal como cualquiera de sus libros escolares.

—Oh, pero yo sabía —respondió con toda tranquilidad— que usted tenía que volver, ¡y así sucedió!

Después que se hubo metido de nuevo en la cama, tuve que esperar un buen rato, tomándola de la mano, y ella me demostraba con su cariñoso tacto lo satisfecha que estaba de que yo hubiese regresado.

Ya se podrán imaginar cómo fueron mis noches desde aquel momento. Muchas noches yo permanecía sentada en mi sillón, sin dormir y sin conciencia de la hora que era. Yo elegía los momentos en los que mi compañera de habitación dormía sin duda alguna, me deslizaba afuera y daba vueltas sin hacer ruido por el pasillo. Incluso llegué hasta el lugar donde encontré a Quint la última vez. Pero nunca lo volví a ver en ese lugar, y desde ahora diré que desde entonces nunca más se apareció en la casa. De todos modos, en la escalera, estuve a punto de vivir una aventura diferente. En una ocasión, al mirar hacia abajo desde la parte superior, reconocí la presencia de una mujer sentada en uno de los escalones inferiores, con la espalda vuelta hacia mí, el cuerpo medio inclinado, y en general el cuerpo en una actitud que revelaba una gran melancolía. Apenas la vi un instante y desapareció sin dejar rastros y sin que yo hubiera podido verle el rostro, lo que me hizo suponer que se trataba de la mujer del lago, y entonces me preguntaba si, suponiendo que yo hubiera estado abajo en vez de arriba, hubiera tenido el valor de enfrentarme a ella como lo había hecho con Quint. Aunque de ahí en adelante no me faltarían las oportunidades de demostrar mi temple. La undécima noche después de mi encuentro con aquél caballero —ahora las numeraba todas— sufrí una alarma que puso a prueba mi resistencia y que de hecho, debido a lo inesperada, resultó ser la impresión más fuerte de todas.

Aquella fue precisamente la primera de una serie de noches en las que, cansada de mis vigilias, había llegado a la conclusión de que podía acostarme de nuevo a mi antigua hora sin ningún problema. Me dormí de inmediato y, como supe más tarde, hasta la una de la madrugada; pero de pronto me desperté como autómata y me senté en la cama, completamente despierta, como si una mano me hubiera sacudido. Había dejado una luz encendida, pero ahora estaba apagada, y al instante tuve la seguridad de que era Flora quien la había extinguido. Eso me puso de pie y me dirigió en la oscuridad hacia su cama, con lo que descubrí que no se encontraba en ella. Una mirada hacia la ventana me iluminó aún más, y al encender un fósforo el cuadró se completó.

La niña se había levantado de nuevo, pero esta vez había tomado la precaución de apagar la vela, y de nuevo, con la finalidad de mirar hacia fuera, se había colocado detrás de la persiana. Lo que estaba viendo ahora —y que no había visto la otra vez, yo estaba segura—me quedó asegurado por el hecho de que ella no se percató de que yo había encendido de nuevo la vela, ni por el apresuramiento con el que me calcé las zapatillas y me envolví en mi bata. Ella estaba apoyada en el alféizar de la ventana y parecía totalmente abstraída en su visión, con los ojos fijos en algo indefinido. Esa noche brillaba la luna con gran intensidad, lo que ayudaba en su observación, y ese hecho influyó grandemente en mi decisión. Ella estaba contemplando la misma figura que había aparecido en el lago, y al parecer ahora podía comunicarse con ella como no lo había hecho la otra vez. Lo que tenía que hacer yo era salir sin molestarla al pasillo, y buscar otra ventana orientada hacia el mismo lugar. Me dirigí a la puerta sin que ella lo advirtiera; al salir cerré la puerta y traté de escuchar desde afuera algún sonido dentro. Mientras caminaba por el pasillo mis ojos se fijaron en la puerta de su hermano, que estaba a unos diez pasos de distancia y que, indescriptiblemente, me produjo una renovación del extraño impulso que más tarde llamaría "mi tentación". ¿Y si entraba directamente y me dirigía a su ventana? ¿Y si, arriesgándome a su asombro infantil ante la revelación de mis motivos, podía develar un buen trozo de aquel misterio que había estado evadiendo por falta de valor?

Aquel pensamiento tuvo la fuerza suficiente para hacerme cruzar el pasillo hasta el umbral de su puerta y detenerme ahí. Entonces puede escuchar de una manera sobrenatural e imaginar con gran viveza lo que estaba ocurriendo en su habitación; me preguntaba si su cama también estaría vacía y él estaría vigilando en secreto. Fue un profundo minuto de silencio, al final del cual mi impulso cedió y percibí que en realidad todo estaba tranquilo, era posible que él fuera inocente; el riesgo de entrar a su recámara me pareció intolerable y preferí alejarme. Había una figura en el jardín, una figura que merodeaba por ahí, era el visitante que tenía algo que ver con Flora; pero no era el visitante más preocupado por mi muchachito. Dudé de nuevo, pero de otra manera y sólo unos pocos segundos; luego tomé una decisión. Había suficientes habitaciones vacías en Bly, sólo había que elegir la correcta, y se me presentó repentinamente la idea de elegir la habitación inferior, que también dominaba el jardín desde cierta altura, y desde ahí se veía lo que llamaban "la torre vieja". Aquella era una habitación cuadrada, dispuesta con cierto lujo como dormitorio, y su extravagante tamaño la hacía tan inconveniente que durante años, pese a que la señora Grose la mantenía cuidadosamente en condiciones, no había sido ocupada. Pero yo conocía bien aquel cuarto, y sabía cómo manejarme en la oscuridad, por lo que fui directamente hacia la ventana y descorrí el cierre de los postigos, para abrir la contraventana y dejar al descubierto los cristales; al acercarme puede ver, ya que la oscuridad de afuera era mucho menor que la de adentro, que se orientaba en la dirección correcta. Entonces vi algo más. La luna hacía que la noche fuera en verdad penetrable, por lo que pude distinguir perfectamente a una persona de un tamaño reducido por la distancia que se encontraba de pie e inmóvil, mirando hacia mí..., o mejor dicho, mirando hacia algo que al parecer se encontraba encima de mí; era evidente que arriba se encontraba otra persona..., seguramente había alguien en la torre; pero la presencia en el césped no era en absoluto la que yo había pensado y me había apresurado a ir a ver. Aquel que se encontraba sobre el pasto no era otro sino el pequeño Miles.

XI

No fue sino hasta la última hora de la noche siguiente que tuve oportunidad de hablar con la señora Grose; el rigor con que yo mantenía a mis pupilos bajo la más estricta supervisión me dificultaba el encontrarme con ella en privado; además, ambas habíamos comprendido la necesidad de no provocar —ni por parte de los sirvientes ni mucho menos de los niños— ninguna sospecha de algún conciliábulo secreto o de la investigación de algún misterio. Yo obtenía una sensación de seguridad de la discreción de ella y de su aspecto tranquilo; no había en ella nada que fuese el espejo de mi gran inquietud; aunque estaba segura de que ella creía todo lo que yo le comunicaba, si no hubiera contado con esa seguridad, yo no sé cómo hubiera podido soportar todo aquello, pues la tensión era demasiado pesada para mí. Pero para ella era una bendición la falta de imaginación, pues ella no tenía la menor sospecha respecto de nuestros pequeños protegidos y sólo veía en ellos la belleza y la amabilidad de que estaban dotados, además de que no había experimentado lo que yo. Si ella hubiera visto a los niños deteriorados o abatidos, seguramente hubiera demostrado una gran aflicción; pero como estaban las cosas, ella no mostraba otra cosa que la satisfacción de verlos sanos y felices. Aquella noche, los vuelos de su imaginación eran sustituidos en su mente por el resplandor del fuego de la chimenea, y yo había comenzado a observar cómo, en la medida en que se desarrollaba su convicción —pues no se había producido ningún incidente notorio— de que nuestros niños podrían muy bien arreglárselas por sí mismos, y dirigía sus esfuerzos al triste caso de las penas de su institutriz. Eso, para mí, era altamente significativo, pues yo podía lograr que mi rostro no reflejara mi angustia delante del mundo, y con ella podía contar con un interlocutor sereno y confiable.

En el momento del que hablo ahora, ella había venido a reunirse conmigo, más bien de manera forzada, en la terraza, donde por el cambio de estación, el sol de la tarde era ahora agradable, y estabamos ahí sentadas juntas mientras, delante de nosotras y a una cierta distancia, pero al alcance de nuestras voces si fuese necesario, se encontraban los niños, quienes paseaban felices de un lado para otro. Ellos caminaban con cierta lentitud sobre el césped tibio debajo de la terraza, mientras lo hacía, el niño leía en voz alta un libro de cuentos y rodeaba a su hermana con los brazos para mantenerla cerca. La señora Grose los observaba con visible satisfacción, aunque yo sentía que se preparaba para que yo le presentara el reverso de aquel tapiz de felicidad; pues en esos tiempos yo me había convertido en la expresión misma de la inquietud y de la negatividad; pero había en ella un gran respeto por mi jerarquía, además de una clara compasión por mis sufrimientos. Ella ofrecía su mente a mis revelaciones de la misma manera en que hubiera aceptado que yo preparara un brebaje de brujas, y ella sin duda me hubiera proporcionado un gran cazo limpio. Ésa era exactamente su actitud cuando, en mi narración de los acontecimientos de la noche, toqué el punto de lo que me había dicho Miles, cuando al verlo en aquella hora tan monstruosa, casi en el mismo lugar donde estaba ahora, bajé en su busca, tras decidir en la ventana, y con una gran prudencia para no alarmar a los de la casa, este método, antes que cualquier otro más ruidoso. Mientras tanto, yo tenía pocas dudas respecto de mis escasas esperanzas de su sinceridad al no responder a mis preguntas. Tan pronto como aparecí en la terraza, a la luz de la luna, vino rápidamente hacia mí, tras lo cual yo tomé su mano sin una palabra y lo conduje a través de los oscuros espacios de la casa hasta subir la escalera donde Quint lo había asechado con tanta avidez, a lo largo del pasillo donde yo había escuchado y temblado, hasta su vacía habitación. Ni un sonido se había escuchado en el trayecto, y al caminar, yo me iba preguntando si el niño no estaría pensando en inventar una excusa que fuera creíble y no en decir la verdad. Ciertamente, yo iba a poner a prueba su inventiva, y esta vez sentí por parte suya una auténtica confusión, pero al mismo tiempo un tono de triunfalismo. Era la gran ocasión para arrancarle el secreto. Él ya no podía seguir fingiendo total inocencia... ¿Cómo pensaba salirse de aquello? Aunque también palpitaba en mí el inquietante cuestionamiento de si yo misma podría salirme de aquello. Finalmente me veía enfrentada, como nunca antes, con todos los riesgos que conlleva, a la revelación de mis propios terrores. Recuerdo que mientras entrábamos en su habitación, donde la cama estaba intacta, pues en toda la noche no había dormido en ella, y la ventana, con las cortinas descorridas a la luz de la luna, hacía que el lugar fuera tan claro que no era necesario encender ninguna luz; recuerdo que me dejé caer brusca-mente, me hundí en el borde de la cama ante la fuerza de la idea de que debía saber realmente si él era capaz de acorra-larme, con toda su inteligencia para ayudarle, mientras por lo visto yo seguía sometida a la antigua tradición de aquellos preceptores que atienden más a sus supersticiones y miedos que a la realidad. Tal vez él pudiera manipularme de tal manera que yo terminara por aceptar en nuestra rela-ción un elemento terrible.

Era inútil intentar que la señora Grose comprendiera todo aquello, de manera que resulta casi imposible narrarlo aquí de manera totalmente asequible; narrar, por ejemplo, cómo durante nuestra escaramuza allá en la oscuridad, él me lle-nó de admiración. Yo, por supuesto, me mostré cariñosa y comprensiva; nunca había depositado sobre sus pequeños hombros unas manos con tanta ternura como aquellas con las que, sentada en la cama, lo abracé para preguntarle. Él no tenía otra alternativa.

—Tienes que decírmelo ahora, y decirme la verdad... ¿Para qué saliste? ¿Qué estabas haciendo allá afuera?

Parece que estoy viendo su espléndida sonrisa, el brillo de sus hermosos ojos y sus dientes en la oscuridad.

—Y si le digo a qué salí..., ¿lo comprenderá?

Ante aquello, el corazón me saltó a la boca. ¿Realmente me lo diría? No encontré las palabras que apresuraran su respuesta, y sólo soy consciente de que asentí varias veces con un vago gesto de la cabeza. Él era la gentileza personificada, y mientras yo agitaba la cabeza permaneció allí con el porte de un príncipe de cuento de hadas. Fue precisamente eso lo que me proporcionó un respiro. ¿Realmente era algo tan importante, si finalmente iba a decírmelo?

—Bueno —dijo al fin—, fue sólo para que usted hiciera exactamente esto.

—¿Hiciera qué?

—Pensar que yo, por una vez, era capaz de hacer alguna maldad —. Nunca olvidaré la dulzura con la que pronunció aquellas palabras, ni cómo, después de decirlas, se acercó a mi mejilla y me besó. Aquello fue prácticamente el fin de todo. Yo recibí su beso y no tuve más pensamiento que devolvérselo, mientras lo mantenía abrazado, haciendo los más grandes esfuerzos para no llorar. Él había conseguido darme exactamente la respuesta que se necesitaba para desactivar todas mis defensas; y fue sólo para confirmar mi aceptación de ello que, mientras miraba la habitación a mi alrededor, pude decir:

—Entonces, ¿fue por eso que no te desnudaste para dormir?

—Sí, me quedé sentado leyendo.

—¿Y cuándo bajaste?

—A media noche, que es la hora en que yo soy malo... ¡muy malo!

—¡Ah, ya veo!..., es encantador, pero, ¿cómo podías estar seguro de que yo iba a enterarme?

—Oh, lo arreglé todo con Flora —sus repuestas parecían preparadas de antemano—. A cierta hora, ella tenía que levantarse y mirar por la ventana.

—Que fue lo que hizo. —Aparentemente yo había caído en su juego.

—Sí, y para ver qué era lo que ella estaba mirando, usted miró también, ¡y me vio a mí!

—¡Y tú podías caer enfermo por el frío de la noche!

Estaba tan orgulloso de su hazaña que no tuvo menos que asentir, con un aire de triunfo.

—¿De qué otro modo hubiera podido ser lo suficientemente malo? —preguntó. Y luego, tras otro abrazo, el incidente y nuestra entrevista quedaron cerrados con mi reconocimiento de todas las reservas de bondad que había sido capar de reafirmar con su broma.

XII

La impresión que había recibido resultó, repito, a la luz del día, no sólo lo presentable que hubiera deseado ante la señora Grose, sino también reforzada por la mención de otra cosa que me dijo el pequeño Miles antes de separarnos.

—Todo reside en media docena de palabras —le dije—, palabras que dejan sentado el asunto: "¡piense en lo que él sería capaz de hacer!" Él me hizo ese juego para demostrarme lo bueno que en realidad es. Tal vez algo parecido les hizo en la escuela.

—Oh, ¡cómo cambia usted! —exclamó mi amiga.

—Yo no cambio..., simplemente voy entendiendo mejor las cosas; ahora podría apostar que ellos se reúnen muy frecuentemente. Si en alguna de estas últimas noches hubiera estado usted con cualquiera de los dos lo comprendería claramente. Cuanto más he esperado y observado más he tenido la sensación de que, si no hubiera otra cosa para convencerme, sería suficiente el sistemático silencio de ambos. Nunca se me han escapado detalles significativos aunque nada se me expresa, del mismo modo que Miles no ha dicho nada de su expulsión de la escuela, a pesar de que bien lo sabe y es un asunto de gran importancia. Podemos estar sentadas aquí, mirándolos, y ellos exhibirse con toda naturalidad, pero incluso mientras fingen estar completamente embebidos en sus cuentos de hadas, no hacen otra cosa que pensar en su relación con los muertos que los visitan. Él no le está leyendo nada a ella —declaré—; en estos momentos están hablando de *ellos*..., ¡son horrores parlantes! Sé que hablo como si estuviera loca, y es un milagro que no lo esté; yo creo que lo que he visto la hubiera vuelto loca a usted, pero a mí sólo me ha vuelto más lúcida, y me ha hecho comprender muchas cosas.

Mi lucidez debía parecer espantosa, pero las encantadoras criaturas que eran víctimas de aquello, pasando y volviendo a pasar delante de nosotras en su unida dulzura, proporcionaron a mi colega algo a lo que asirse; y yo sentí con qué fuerza se aferraba a ello, sin dejarse arrastrar por lo que para ella no era más que una alocada pasión, pues siguió protegiéndolos con la mirada.

—¿Qué otras cosas ha averiguado usted?

—Bueno, todas las cosas que me encantaban, que me fascinaban y que, en el fondo, como ahora comprendo sorprendentemente, me desconcertaban y me inquietaban. Su belleza más que terrenal, su bondad absolutamente innatural. Es un juego —proseguí—; pero es un juego totalmente perverso.

—¿Por parte de los niños?

—Ellos son solamente un par de pequeños encantadores, ¿no es cierto?..., ¡pues sí!, aunque le parezca una locura—. El mismo acto de plantearlo ante la señora Grose me ayudó a definirlo mejor, a atar cabos—. Ellos nunca han sido buenos..., lo que pasa es que se encuentran ausentes. Ha sido fácil convivir con ellos porque no llevan una vida propia. No son míos, no son de usted... ¡Son de él y de ella!

—¿De Quint y de..., esa mujer?

—De Quint y de esa mujer, ellos de alguna manera los poseen.

La pobre señora Grose se puso a reflexionar con gran detenimiento.

—Pero..., ¿por qué?

—Por amor a todo ese mal que, a lo largo de aquellos terribles tiempos les inculcaron, doblegándolos a seguir las malévolas disposiciones de esos seres demoníacos que ahora los visitan.

—¡Dios mío!—, exclamó mi amiga con el aliento entrecortado. La exclamación era simple, pero revelaba una auténtica aceptación de mis argumentos de lo que en los malos tiempos tendría que haber ocurrido. No podía haber una justificación más evidente que el claro reconocimiento, en su experiencia dentro de la casa, de la depravación a la que hubieran podido llegar aquel par de truhanes. Era una obvia aceptación el que dijera al cabo de un momento:

—¡Eran un par de granujas! Pero, ¿qué pueden hacer ahora?

—¿Hacer? —le repetí con tanta fuerza que Miles y Flora, allá en la distancia, detuvieron un instante su paseo y nos miraron—. ¿No han hecho ya suficiente? —le pregunté en un tono más bajo, sonriendo nos enviaban besos con sus manitas y proseguían con sus juegos. Los contemplamos unos minutos y luego le respondí—: ¡Pueden destruirlos! —ante aquello mi compañera se volvió, pero la pregunta que formuló era en silencio, y eso me hizo ser más explícita—. Todavía no saben bien cómo..., pero estoy segura de que lo están intentando con empeño. Por ahora sólo se les ve de lejos, como si estuvieran detrás de algo, en lugares extraños y altos, la parte superior de las torres, el tejado de la casa, fuera de las ventanas, al otro lado del estanque; pero yo siento que hay una profunda intención de acortar los espacios y superar los obstáculos, de modo que el éxito de los tentadores es sólo cuestión de tiempo. Lo único que tienen que hacer es mantener sus sugestiones de peligro.

—¿Para que acudan los niños?

—¡Y perezcan en el intento! —La señora Grose se puso lentamente de pie, y yo añadí con toda seriedad—: ¡A menos que nosotras podamos impedírselo!

Yo seguí sentada y ella, de pie delante de mí, daba vueltas al asunto en su cabeza.

—Eso tiene que hacerlo su tío. ¡Él tiene que sacarlos de aquí!

—¿Y quién podrá pedirle que lo haga?

Ella había estado escrutando a la distancia, pero ahora se volvió hacia mí con un extraño semblante.

—Usted, señorita.

—¿Escribiéndole que esta casa está envenenada y que sus pequeños sobrinos están locos?

—Pero, ¿y si realmente lo están, señorita?

—¿Y si lo estoy yo, quiere decir? ¡Pues sería una noticia encantadora para alguien que ha puesto como primera condición el no ser molestado en ninguna forma!

La señora Grose pensaba en eso mientras seguía a los niños con la mirada.

—Sí, nunca ha querido que lo molesten, esa fue la razón principal...

—¿De que esos bribones lo engañaran durante tanto tiempo?..., de eso no hay duda, aunque esa indiferencia debió de ser horrible. Pero, puesto que yo no soy como ellos, en cualquier caso, no debería engañarlo.

Tras unos instantes, y por toda respuesta, mi compañera se sentó de nuevo y aferró mi brazo.

—Sea como sea, haga que venga aquí.

Me la quedé mirando fijamente.

—¿Venir aquí? —Sentí un miedo repentino hacia lo que ella podía hacer—. ¿Él?

—Sí, él debería estar aquí..., debería ayudar.

Me puse rápidamente de pie, y creo que mi rostro debió parecerle más extraño que nunca.

—¿Me ve usted a mí pidiéndole que venga a visitarme aquí? No—. Sus ojos clavados en mi rostro hacían evidente que ella, al igual que yo, no lo podía concebir. Del mismo modo, como una mujer es capaz de leer el pensamiento de otra, podía ver lo que veía yo misma: su desdén, su burla, su desprecio ante mi incapacidad de poder llevar aquello yo sola, y toda la complicada maquinaria que había puesto a funcionar para atraer su atención hacia mis modestos encantos. Ella no sabía, nadie lo sabía, lo orgullosa que yo había estado de servirle y de aceptar sus condiciones, pero pese a todo captó la advertencia que le di —: Si acaso perdiera usted la cabeza y se decidiera a llamarlo en mi nombre...

Se mostró realmente asustada.

—¿Sí, señorita?

—Yo los abandonaría de inmediato, a usted y a él.

XIII

*E*star con ellos era una experiencia magnífica, pero hablar con ellos resultó algo superior a mis fuerzas; todo se presentaba lleno de grandes dificultades a causa de esa extraña situación de incertidumbre que duró por todo un mes, y con nuevas agravantes y notas particulares; la primera de todas, y la más grave, era que fui descubriendo una aguda ironía por parte de mis pupilos. No era, estoy segura ahora como lo estaba entonces, el efecto de mi enfermiza imaginación; era absolutamente detectable que ellos eran conscientes de mi apuro, y que esa relación en cierto modo creó, durante largo tiempo, el ambiente en el que nos movíamos. No quiero decir que se burlaran de mí o algo parecido, no era eso lo que había que temer en ellos; quiero decir más bien que el elemento innombrable e intocable se convirtió, entre nosotros, en la cosa más importante, y que aquello no era posible de soslayarse sin un gran acuerdo tácito. Era como si por momentos estuviéramos llegando a la vista de temas ante los cuales teníamos que detenernos en seco, girando por callejones laterales que veíamos que no tenían salida, cerrando con un pequeño portazo que nos hacía mirarnos los unos a los otros —pues todos los portazos eran un poco más fuertes de lo que nos habíamos imaginado— reconociendo las puertas que habíamos abierto indiscretamente. Todos los caminos conducen a Roma, y había ocasiones en las que nos parecía que toda rama de estudio o tema de conversación rozaba el terreno de lo prohibido. Por supuesto, terreno prohibido era la cuestión del regreso de los muertos en general, y en especial el tema de qué recuerdos de los amigos que los niños habían perdido podían sobrevivir. Había ocasiones en las que hubiera podido jurar que uno de ellos, con un codazo, le había dicho al otro: "Creo que esta vez lo podría hacer..., ¡pero *no lo hará* !". "Hacerlo" hubiera sido, por ejemplo, permitirme —alguna vez de tanto en tanto— hacer alguna vez referencia a la señorita que había sido su anterior institutriz. Ellos sentían un delicioso e interminable apetito por saber cosas de mi propio pasado que yo deslizaba en mis conversaciones, al grado de que tenían conocimiento de todo lo que me había pasado, conocían con todo detalle el relato de mis más triviales aventuras con mis hermanos y hermanas, y del gato y del perro de la casa, así como muchos detalles del excéntrico carácter de mi padre, del mobiliario y de la decoración de la casa y de las conversaciones de las viejas de nuestro pueblo. Reuniendo toda esa información, había materia suficiente para charlar con amplitud, pero yo sabía por instinto cuándo dar un rodeo. Ellos tiraban con un arte especial de los hilos de mi inventiva y de mi memoria, y ninguna otra cosa, quizá, cuando pienso en esas ocasiones, me daba la sospecha de que era vigilada disimuladamente. En cualquier caso, era sólo sobre *mi* vida, *mi* pasado y *mis* amigos sobre lo que era inducida a hablar, lo que a veces los conducía, sin que viniera a cuento, a revivir otros recuerdos. En ocasiones yo era invitada —sin que hubiese conexión posible— a hablar de temas tan lejanos como de algún personaje de mi pueblo o de lo inteligente que era el pony de la parroquia.

Era en parte en esas ocasiones y en parte en otras completamente distintas cuando, con el giro que ahora habían tomado las cosas, o mis apuros, como yo los llamaba, que todo se fue haciendo más sensible. El hecho de que esos días pasaran para mí sin otro encuentro pareciera haber calmado un poco mis nervios. Desde aquél incidente en el que yo había visto a la mujer en el rellano de la escalera, no había visto nada, ni dentro ni fuera de la casa. Pero siempre había alguna esquina, tras la cual tenía la sensación de que podría encontrarme de pronto con Quint, y hubo más de una situación en la que, de una forma más bien siniestra, yo hubiera preferido la aparición de la señorita Jessel. Así como había llegado, el verano se había ido; el otoño había descendido sobre Bly y se había llevado la mitad de nuestras alegrías. El lugar, con su cielo gris y sus guirnaldas marchitas, sus espacios desnudos y sus hojas muertas esparcidas, era como un teatro vacío después de una actuación, todo lleno de programas arrugados. Había algo en el aire, condiciones de sonido y de quietud, inexpresables impresiones que me traían, durante el tiempo suficiente como para poder percibirla, la impresión de la atmósfera en la cual, aquella tarde de junio al aire libre, tuve mi primera visión de Quint, y los otros instantes en los que, después de haberlo visto tras la ventana, lo busqué en vano en el seto de matorrales. Reconocí los signos, los portentos..., reconocí el momento, el lugar; pero permanecieron solos y vacíos, y yo seguí sin ser molestada, aunque no es del todo cierto decir que una mujer joven y sensible no hubiese sido molestada por la expectativa y el misterio que flotaba en el ambiente. Yo le había contado a la señora Grose aquella horrible escena de Flora junto al estanque —y la había dejado perpleja contándoselo—; y también le había dicho que a partir de ese momento me angustiaba mucho más perder mi poder que conservarlo. Entonces le había expresado lo que tenía vívidamente en mi cabeza: la verdad de que, lo vieran o no lo vieran realmente los niños —puesto que eso no había sido probado—, yo prefería, como salvaguardia, el verlo yo misma. Estaba preparada para saber todo lo que podía saberse. De lo que había tenido entonces un desagradable atisbo era de que mis ojos pudieran verse sellados justo cuando los suyos estaban más abiertos. Y si era así, y mis ojos estaban sellados, parecía un acto de blasfemia el no dar gracias a Dios por ello. Pero había una dificultad, yo le hubiera dado las gracias con toda mi alma, de no haber estado convencida del secreto de mis pupilos.

¿Cómo puedo seguir de nuevo hoy los extraños pasos de mi obsesión? Había momentos en los que estábamos juntos y en los que hubiera estado dispuesta a jurar que, literalmente, en mi presencia, pero sin que yo fuera capaz de captarlo directamente, recibían visitantes que eran conocidos y bien recibidos. Era entonces cuando, si no me hubiera visto detenida por la posibilidad de que podía producirse un daño mayor que el evitado, mi exaltación me hubiera hecho gritar: "¡Ellos están aquí, pequeños mentirosos, están aquí, y ustedes no lo pueden negar!" Pero aquellos "pequeños mentirosos" lo negaban todo con su gentileza y su ternura, en cuyas cristalinas profundidades —como el destello de un pez en un arroyo—, se asomaba su ventaja como una burla. La impresión había calado más profundamente en mí de lo que pensaba la noche en la cual, buscando a Quint o a la señorita Jessel bajo las estrellas, había visto ahí al niño, cuyo descanso me tocaba a mí vigilar y que había exhibido de inmediato —volviéndose directamente hacia mí— la encantadora mirada hacia arriba que me había mostrado la horrible aparición de Quint desde las almenas. Si de miedo se trataba, mi descubrimiento en esta ocasión me causó más miedo que cualquiera otra cosa. Y fue en ese estado que concebí todas mis conclusiones. Pero todo eso me atormentaba tanto que a veces, en los momentos de mayor inquietud, me encerraba en mi habitación para ensayar, incluso en voz alta —lo que era a la vez un alivio fantástico y una renovada desesperación— la forma en la cual podría enfrentar el asunto. Yo lo abordaba por uno u otro lado mientras paseaba nerviosa por mi habitación; pero siempre mis planes se desmoronaban ante la monstruosa pronunciación de sus nombres; mientras se desvanecían en mis labios me decía a mí misma que de hecho debería ayudarles a representar algo infame si al pronunciar sus nombres violaba un caso de delicadeza instintiva más raro que el que cualquier escolar hubiera llegado a conocer. Cuando me decía a mí misma: "Ellos tiene la consigna de guardar silencio y tú, a quien se los han confiado, la capacidad de hablar"; entonces me sentía enrojecer y me tapaba los ojos con las manos. Tras esas escenas secretas me volvía más comunicativa que nunca y me mostraba tremendamente voluble, hasta que se producía uno de esos silencios prodigiosos que parecían poderse tocar —no puedo describirlos de otro modo—, y yo sentía ese extraño aturdimiento de elevarme bruscamente o caer (¡intento encontrar las palabras!), una pausa de toda la vida, con el mayor o menor ruido que podíamos estar haciendo y que yo podía oír a través de cualquier risa intensificada o recitación acelerada o cualquier acorde del piano. Eso podía significar que los otros, los intrusos, estaban ahí; aunque no eran ángeles "pasaban", como dicen los franceses, haciendo que, mientras permanecía allí, yo temblara con el miedo de que dirigieran a sus pequeñas víctimas algún infernal mensaje, o una imagen vívida de las que ellos habían creado en mí.

Pero de lo que más trabajo me costaba liberarme era de la cruel idea de que, hubiera yo visto lo que fuera, Miles y Flora veían *más*..., tal vez cosas terribles e insospechadas visiones del pasado. Naturalmente, estas cosas dejaban en la superficie, por el momento, un estremecimiento que negábamos sentir de forma explícita; y los tres íbamos alcanzando un cierto entrenamiento que nos hacía repetir, al final de cada situación extraña, una serie de movimientos que tenían las características de un ritual. Era sorprendente que los niños, en cada uno de esos casos, corrieran hacia mí para besarme, y nunca dejaran de hacerme la preciosa pregunta que tanto nos había ayudado a través de más de un peligro: "¿Cuándo cree usted que *vendrá*?... ¿No cree que deberíamos escribirle?" Los tres sabíamos por experiencia que no había nada como esa pregunta para echar a un lado todo problema. "Él", por supuesto, era su tío de Harley Street; y entre todos creábamos el mito de que podía llegar en cualquier momento para unirse a nuestro círculo. Pero era imposible que él hiciera menos por alentar estas expectativas, sin embargo, de no ser por esa fantasía, nos hubiéramos visto privados de uno de nuestros rituales más saludables. Él nunca les escribía, y eso muy bien podía considerarse como algo profundamente egoísta, pero era algo que también formaba parte de la halagadora confianza que había depositado en mí; porque la forma en la que un hombre rinde un mayor tributo a una mujer es la celebración de una de las sagradas leyes de su comodidad. Así que yo creía que mantenía el espíritu de mi compromiso no apelando a él cuando hacía comprender a mis pequeños amigos que sus propias cartas no eran más que unos encantadores ejercicios literarios. Eran unas cartas demasiado hermosas para echarlas al correo, yo siempre las guardaba para mí, y todavía las conservo. De hecho se trataba de una regla que no hacía más que añadirse al efecto satírico de plegarme a la suposición de que él podría presentarse en cualquier momento entre nosotros. Era exactamente como si nuestros pequeños amigos supieran que para mí no podía haber una cosa peor que esa. Cuando miro hacia atrás, me parece que en todo aquello no había nada más extraordinario que el mero hecho de que, pese a mi tensión y su triunfo, yo nunca perdí la paciencia con ellos. ¡Tenían que ser realmente adorables!, pienso ahora, para que en aquellos días no los odiara. ¿Finalmente me había traicionado la desesperación..., y si el alivio se hubiera pospuesto algo más? Importa poco, porque el alivio llegó. Lo llamo alivio, aunque sólo fue como ese tipo de restablecimiento que trae consigo una bofetada en un ataque de nervios o el estallido de una tormenta en un día sofocante. Pero al menos fue un cambio, y llegó con todo su ímpetu.

XIV

*C*ierto domingo por la mañana, camino de la iglesia, llevaba yo a mi lado al pequeño Miles, y su hermana iba delante de nosotros con la señora Grose, bien a la vista. Era un día hermoso y claro, el primero de ese tipo desde hacía algún tiempo; la noche había traído consigo un toque de escarcha y el aire de otoño, fresco y cortante, hacía que las campanas de la iglesia sonaran casi alegres. Fue algo natural que en aquellos momentos me sintiera particularmente agradecida por la bondad y la obediencia de mis pequeños pupilos ¿Por qué nunca se hastiaban de mi constante compañía? Alguna cosa me había hecho pensar que el niño se mantenía casi pegado a mis faldas, y que, por la forma en que mis otras dos compañeras avanzaban delante de mí, podía parecer que él estaba atento a cualquier tipo de rebelión. Yo era como un carcelero con los ojos bien abiertos ante posibles sorpresas y escapatorias. Pero todo esto pertenecía —quiero decir, su pequeña y magnífica rendición— a la serie de hechos casi abismales que nos rodeaban. Vestido con ropas de domingo por el sastre de su tío, quien tenía buena mano y buen gusto para cortar

un chaleco, y luciendo un aire de distinción, Miles osten-
taba su título de independencia llevando gravados de tal
modo los signos de su sexo y condición, que si me hubiera
pedido de pronto que lo dejara en libertad yo no hubiera tenido nada que decir. Por una de esas extrañas casualidades,
yo me estaba preguntando cómo debería enfrentarme a él
cuando esa revolución llegara irremediablemente. La
llamo revolución porque ahora veo cómo, con la palabra
que pronunció, se levantó el telón para el último acto de
mi terrible drama..., y se precipitó la catástrofe.

—Mire, querida; yo quisiera saber —dijo con encanto y
suavidad—, ¿cuándo voy a volver al colegio?

Transcritas de este modo las palabras, parecen inofen-
sivas, en particular pronunciadas por la dulce, aguda y
casual vocecita con la que se dirigía a sus interlocutores,
pero por encima de todo a su institutriz, dejando escapar
las entonaciones como si me estuviera lanzando rosas.
Había algo en su manera de hablar que siempre me atrapaba,
pero esta vez yo me detuve en seco, como si uno de los
árboles del parque hubiese caído para cortarnos el camino.
En aquel momento se produjo algo nuevo entre nosotros,
y él fue plenamente consciente de que yo me había dado
cuenta, aunque para conseguirlo no necesitó adquirir una
actitud menos inocente y encantadora de lo habitual. Yo
me percaté de que, al descubrir él que yo no acertaba a
responder nada, estaba bien consciente de la ventaja que
en ese momento tenía sobre mí. Yo fui tan lenta en reaccio-
nar que él tuvo todo el tiempo del mundo para continuar
diciendo con su habitual y sugestiva sonrisa:

—Ya sabe, querida, que para un chico el estar *siempre* con una dama... —aquel "querida" flotaba en sus labios cuando se dirigía a mí, y nada hubiera podido expresar mejor el tono exacto del sentimiento que esperaba inspirar a mis pupilos ese tipo de familiaridad que se presentaba de una manera tan respetuosamente fácil.

¡Pero, oh, cómo sentí en aquel momento que debía elegir muy bien mis frases! Recuerdo que, para ganar tiempo, intenté echarme a reír, y creí ver en el candoroso rostro con el que me contemplaba lo grotesco que podía ser mi aspecto en esos momentos.

—¿Y siempre con la misma dama? —le devolví el tema. No vaciló ni pestañeó. Virtualmente ya nos habíamos dicho todo.

—Oh, ¡por supuesto usted es la dama *perfecta*! —dijo— Pero después de todo yo soy un chico, ¿sabe?, que..., bueno, se está haciendo mayor.

Me tardé un poco en contestar, permaneciendo él con una amable sonrisa.

—Sí, te estás haciendo mayor —¡Oh, qué impotente me sentía! Todavía hoy conservo esa pequeña idea descorazonadora de cómo él parecía saber eso y jugar con ello.

—Y no puede decir que no me he portado estupendamente bien, ¿verdad?

Apoyé una mano en su hombro, porque, aunque tenía la sensación de que sería mucho mejor seguir andando, todavía no era capaz de ello.

—No, no puedo decir eso, Miles.

—Excepto aquella noche, ya sabe...

—¿Aquella noche? —yo no podía mirarlo de frente, como lo hacía él.

—Sí, cuando fui abajo..., cuando salí de la casa.

—Oh sí, pero ya olvidé lo que hiciste.

—¿Lo olvidó? —Habló con una dulce extravagancia de un reproche infantil—. Bueno, pues fue sólo para demostrarle que yo podía hacer una cosa así.

—Oh, sí..., podías.

—Y puedo de nuevo.

Tuve la sensación de que quizá, después de todo, consiguiera no perder del todo la cabeza.

—Cierto, pero no lo harás,

—No, no haré *eso* de nuevo. No fue nada.

—No fue nada —admití—. Pero tenemos que seguir.

Echó a andar junto conmigo y me tomó del brazo.

—Entonces, ¿cuándo voy a volver?

Adopté el aire más severo que me fue posible.

—¿Estabas muy contento en la escuela?

Lo pensó un buen rato.

—¡Oh, estoy contento en cualquier parte!

—Bien, entonces... —vacilé—, si te sientes igual de contento aquí...

—Oh, pero eso no es todo. Claro que usted sabe mucho...

—¿Pero quieres decir que tú sabes casi tanto como yo? —me arriesgué a terminar su pensamiento al ver que se detenía.

—¡Ni la mitad de lo que quiero saber! —dijo con toda franqueza— Pero no es sólo eso.

—¿Qué es entonces?

—Bueno, quiero ver más de la vida,

—Entiendo. —Habíamos llegado ya a la vista de la iglesia y de varias personas que se encontraban en el patio, entre ellos varios miembros de la casa de Bly que nos esperaban para entrar juntos. Yo apresuré el paso, pues quería estar en la iglesia antes de que la cuestión pudiera ir más lejos entre nosotros. En esos instantes reflexionaba en que durante los servicios religiosos tendría más de una hora para pensar y él tendría que guardar silencio; y también pensé con envidia en la dulce oscuridad de los bancos de la iglesia y en la ayuda casi espiritual de la almohadilla en la que podría apoyar mis rodillas. Pareciera que estuviese participando en una carrera para escapar de algo en lo que estaba a punto de involucrarme, pero comprendí que me estaba precipitando cuando, antes incluso de que entráramos al cementerio de la iglesia, me soltó:

—¡Quiero estar con los que son como yo!

Aquello me hizo dar materialmente un salto.

—¡Hay muy pocos como tú, Miles! —me eché a reír nerviosamente—; excepto quizá la pequeña Flora.

—¿De veras me compara con una niña?

Aquello me tomó desprevenida.

—¿Acaso no quieres a tu dulce hermana Flora?

—Si no la quisiera..., y a usted también; ¡si no la quisiera! —repitió como si retrocediera unos pasos para saltar, pero dejando esa frase tan inconclusa que, cuando cruzamos la verja del patio de la iglesia, se hizo necesaria otra detención, que él me impuso con la presión de su brazo.

La señora Grose y Flora habían entrado ya en la iglesia y los demás fieles las habían seguido, de manera que por el momento nos hallábamos solos entre las viejas tumbas. Nos habíamos detenido en el camino que conducía a la entrada de la iglesia, junto a una vieja tumba baja y oblonga, parecida a una mesa.

—¿Si no la quisieras...?

Él miró las tumbas por unos momentos.

—Bueno, usted ya sabe qué —pero no se movió, y entonces dijo algo que provocó el que tuviera que apoyarme en la loza de piedra, como si en ella pudiera encontrar la fuerza que en esos momentos me abandonaba—. ¿Piensa mi tío lo mismo que usted piensa?

Me apoyé todavía más en la piedra.

—¿Cómo sabes lo que pienso?

—Oh, bueno, por supuesto que no lo sé, aunque me sorprende que nunca me lo diga. Pero lo que quiero decir es, *¿él lo sabe?*

—¿Saber qué, Miles?

—Oh, lo que estoy haciendo.

Reconocí de inmediato que no podía responder a aquella pregunta sin dañar en algo a mi patrón, pero también pensé que todos en Bly estábamos lo suficientemente sacrificados como para que aquello importara.

—No creo que a tu tío le importe mucho.

—Entonces, ¿cree que podamos hacer algo?

—¿Para qué?

—Para que venga.

—¿Y quién podría hacerlo venir?

—¡Yo podría hacerlo! —dijo el niño con una viveza y un énfasis extraordinario. Me lanzó una última mirada llena de un significado enigmático, y después se fue caminando para entrar a la iglesia.

XV

*E*l asunto quedó prácticamente saldado desde el momento en que yo no lo seguí. Fue una lamentable forma de rendirme y yo era consciente de ello, pero la verdad es que mi agitación era tal que no conseguí sobreponerme. Me quedé sentada sobre la tumba y me puse a analizar el significado de lo que había dicho mi joven amigo; cuando pensé haberme hecho una idea clara, me aferré a la idea de que sería vergonzoso de mi parte el ofrecer a mis pupilos y al resto de la congregación un mal ejemplo llegando demasiado tarde. Por encima de todo, yo sabía que Miles había averiguado algo de mí, y aquel repentino derrumbamiento había sido su confirmación. Había conseguido encontrar el camino para provocar mi miedo y probablemente él sería capaz de utilizar ese miedo en su beneficio, siempre para obtener más libertad. Mi miedo era tener que enfrentarme a la intolerable cuestión de los motivos de su expulsión de la escuela, puesto que de ahí derivaban todos los demás horrores. El que su tío pudiera venir para tratar conmigo esas cosas era una solución que, estrictamente hablando, yo tendría que provocar; pero me costaba tanto enfrentarme al horror y al sufrimiento de todo aquello que me contentaba con postergar su enfrentamiento y tratar de vivir con ello mientras tanto. El niño, había que reconocerlo a pesar de mis reticencias, tenía razón, y estaba en posición de decirme: "O aclaras con mi tutor el misterio de esta interrupción de mis estudios, o deja de esperar que lleve contigo una vida que no es natural para un chico de mi edad". Pero lo que era realmente antinatural para aquel niño en particular era su repentina revelación de una conciencia de lo que pasaba y de un plan.

Eso era lo que en verdad me abrumaba y lo que me impedía entrar en la iglesia. Caminé un rato por el cementerio sin saber qué hacer; considerando el que todo lo que ya había vivido con el pequeño Miles me había hecho un daño que iba más allá de todo remedio, y ya que no podía repararlo, no valía la pena sentarme a su lado en la banca de la iglesia; él se sentiría más seguro que nunca para enlazar su brazo con el mío y hacerme permanecer ahí sentada durante una hora en mutuo contacto mudo con su comentario sobre lo que habíamos hablado. Por primera vez desde su llegada deseaba permanecer alejada de él. Cuando me detuve detrás de la alta ventana oriental y escuché los sonidos del oficio, me vi arrebatada por un impulso que tuve la sensación que podía dominarme completamente con sólo alentarlo. Podía poner fin fácilmente a todas mis dificultades con sólo marcharme de ahí. Aquella era mi oportunidad, pues no había nadie en la casa para detenerme; yo podía renunciar a todo aquello, volverle la espalda y marcharme. Era sólo apresurarme a volver a la casa, que con la asistencia de tantos de sus sirvientes a los oficios religiosos estaría prácticamente vacía, y yo podría hacer rápidamente los pocos preparativos necesarios. En pocas palabras, nadie podría culparme si simplemente desaparecía para siempre. ¿De qué me serviría irme solamente hasta la hora de comer? Eso sería dentro de un par de horas, y después —yo estaba convencida— mis pequeños pupilos representarían la escena de la sorpresa ante el hecho de que no hubiera estado en su compañía.

"¿Pero a dónde ha ido? ¿Por qué nos ha preocupado tanto y nos ha impedido seguir el oficio? Por qué nos abandonó en la misma puerta?"... Yo no podía enfrentarme a esa serie de cuestionamientos ni, mientras me los formulaba, a sus encantadoras y falsas miradas; pero eso era exactamente a lo que tendría que enfrentarme, y la posibilidad de irme se me fue haciendo cada vez más atractiva.

Así que, llevada por el impulso y la reflexión, eso fue lo que hice: marcharme. Salí del cementerio de la iglesia y, pensando intensamente, volví sobre mis pasos a través del parque. En el momento en que llegaba a la casa, la verdad es que yo estaba cínicamente motivada a huir. La tranquilidad dominical tanto de los alrededores como del interior, donde afortunadamente no encontré a nadie, despertó en mí una clara sensación de oportunidad. Si actuaba con prontitud podría marcharme sin ninguna escena, sin una palabra. Sin embargo, tenía que darme mucha prisa, y lo primero que tenía que solucionar era encontrar un medio de transporte; pero entonces comencé a sentirme abrumada por las dificultades y obstáculos; recuerdo haberme hundido al pie de la escalera, haberme sentado en el primer escalón, para inmediatamente recordar que había sido precisamente ahí, en la oscuridad de la noche y tan abrumada como ahora por la maldad, que había visto el espectro de la más horrible de las mujeres. Aquello me dio fuerzas para levantarme y entonces subí el resto de los peldaños; en mi precipitación me dirigí primero al aula de estudios, donde había algunos objetos que me pertenecían y que deseaba llevarme. Pero al abrir la puerta me pareció que se formaba un destello delante de mí y mis ojos se abrieron desmesuradamente. Lo que vi hizo que mi resistencia se tambaleara de nuevo.

Sentada en mi propia mesa de trabajo, a la clara luz del mediodía, vi a una persona sentada que, en principio, quise interpretar como una de las doncellas de la casa, que había aprovechado la privacía para escribir, tal vez, una carta a su novio. Había un evidente esfuerzo en la forma en que, mientras sus brazos permanecían apoyados en la mesa, sus manos, con evidente cansancio, sostenían su cabeza, pero al considerar esas cosas, yo ya me había dado cuenta de que ella había permanecido impávida ante mi presencia, su actitud no había cambiado en absoluto. Entonces llegó a mí la conciencia clara de su identidad al producirse en ella un cambio de postura. Se levantó como si yo no estuviera ahí y en sus actitudes se notaba una gran melancolía y desapego por las cosas de su alrededor; ya no había duda de que tenía delante a mi predecesora; deshonrada y trágica, se alzaba ante mí, pero mientras la contemplaba fijamente para grabar en mí sus rasgos, la horrible imagen desapareció súbitamente. Oscura como la medianoche en su vestido negro, su demacrada belleza y su inexpresable aflicción. Me había mirado el tiempo suficiente como para parecer decirme que su derecho a sentarse en esa mesa era tan bueno como el mío; y de hecho, en aquellos instantes tuve la sensación de que era yo la intrusa. Fue como en una salvaje propuesta que me oí decir a mí misma, aunque dirigiéndome a ella: "¡Tú, terrible y miserable mujer!", y mi voz, a través de la puerta abierta, resonó por todo el pasillo y la casa vacía. Ella me miró como si me hubiese escuchado, pero un instante después yo ya me había recobrado y el aire se había despejado. Ya no había ninguna presencia en la habitación, excepto la mía propia, la luz del sol y aquella angustia que había quedado en mí como una trágica secuela.

XVI

*E*speraba con tanta seguridad, al regreso de todos los de la casa, las recriminaciones de mis pupilos, que me sentí desconcertada al encontrarlos muy silenciosos y sin aludir a mi extraña deserción. En vez de reñirme alegremente y bromear conmigo, simplemente hicieron caso omiso del hecho de que les había fallado; y curiosamente la señora Grose tampoco decía nada, por lo que yo aproveché el momento para observarla y estudiar su rostro. Lo hice porque estaba segura de que, de alguna manera, ellos habían influido en ella para que guardara silencio; aunque yo estaba decidida a romper ese silencio en la primera oportunidad que tuviera. Esa oportunidad se presentó antes de la hora del té, entonces pude tener cinco minutos de privacía con la señora en su propia habitación, donde, al atardecer y en medio del aroma del pan recién horneado, pero con el lugar perfectamente barrido y arreglado, la encontré sentada plácidamente junto al fuego. Así es como la veo todavía y así es como mejor la recuerdo: frente a las llamas en su silla de respaldo alto, en aquella habitación y en la semipenumbra del atardecer, convertida en la imagen clásica de "las cosas en su sitio", de cajones cerrados con llave e imperturbable descanso.

—Sí, es verdad, me pidieron que no le dijera nada, y yo los complací, por lo menos mientras estabamos todo juntos; pero ahora me atrevo a preguntarle qué fue lo que pasó.

—Yo sólo fui con ustedes a la iglesia para dar un paseo, tenía que encontrarme aquí con una amiga.

Ella mostró una gran sorpresa.

—Una amiga... *¿usted?*

—Oh, sí, tengo una acompañante —le dije riendo—; pero, ¿le dieron los niños alguna razón?

—¿Para no decir nada de que usted se había ido? Sí, dijeron que a usted le parecía mejor... ¿Le parece mejor?

—¡No, me parece peor! —pero en un instante añadí— ¿Le dijeron que iba a parecerme mejor?

—No, en realidad no; el señorito Miles dijo: "Debemos hacer lo que a ella le guste".

—¡Lo que me gustaría es que *él* lo hiciera! ¿Y qué dijo Flora?

—La señorita Flora se mostró encantadora, como siempre, y dijo: "Oh, por supuesto, por supuesto". Y lo mismo dije yo.

Yo lo pensé por unos instantes.

—Usted también estuvo encantadora..., me parece estarlos oyendo a todos. Pero, sea como sea, entre Miles y yo ahora ya está todo aclarado.

—¿Todo aclarado? —Mi compañera se me quedó mirando fijamente— ¿Pero qué es lo que se aclaró, señorita?

—Bueno..., todo. No importa. Ya he tomado una decisión; volví a la casa, querida —continué—, para tener una charla con la señorita Jessel.

Por aquel entonces ya me había acostumbrado a tener a la señora Grose bien a la mano antes de decir cosas de ese tipo; así que ahora, aunque parpadeó con fuerza ante mis palabras, pude mantenerla comparativamente firme.

—¡Una charla! ¿Quiere decir que ella le habló?

—Algo parecido, la descubrí a mi regreso, en el aula de estudio de los niños.

—¿Y qué es lo que le dijo? —Todavía puedo oír a la buena mujer y el candor de su estupefacción.

—Que sufre tormentos.

Eso fue lo que en realidad la dejó con la boca abierta.

—¿Quiere decir —titubeó—, esa clase de tormentos que sufren los perdidos?

—Si, de los perdidos, de los condenados. Y es por eso, para compartirlos... —Ahora fui yo quien calló ante el horror de aquello. Pero mi compañera insistió:

—¿Para compartirlos?

—Ella quiere a Flora. —De no haber estado yo preparada, la señora Grose hubiera huido de mi lado ante aquellas palabras; pero la retuve ahí para demostrarle que sí lo estaba—. Pero ya le he dicho que eso no importa.

—Usted ha dicho que ha tomado una decisión; pero, ¿respecto a qué?

—Respecto a todo

—¿Y a qué llama usted "todo"?

—A mandar llamar a su tío.

—Oh, señorita, ¡por piedad hágalo! —estalló mi amiga.

—¡Oh, lo haré!, seguro que lo haré. Veo que es la única forma. Y lo que le he dicho que estaba "aclarado" con Miles es que si acaso él piensa que tengo miedo y que eso le da una ventaja sobre mí, está muy equivocado. Sí, sí, su tío sabrá de mis labios (y delante del propio niño si es necesario) que nada se me puede reprochar por no haber hecho algo para que él regresara a la escuela.

—Sí, señorita —reiteró mi compañera.

—Bueno, es por esa horrible razón.

Ahora ya había expuesto tantas razones que era excusable que mi compañera estuviera tan confusa.

—¿A qué razón se refiere?

—Pues a la carta de la escuela.

—¿Se la enseñará al amo?

—Hubiera debido hacerlo al instante mismo en que la recibí.

—Oh, no—, dijo la señora Grose con decisión.

—Yo la pondré delante de sus ojos —seguí diciendo—, y le haré saber que no puedo resolver el problema de un niño que ha sido expulsado.

—¡Y por algo que nunca hemos sabido qué era! —declaró la señora Grose.

—Por pura maldad. ¿Por qué otra cosa; cuando es tan listo, y tan agraciado y tan perfecto?... ¿Acaso es estúpido?, ¿es desaseado?, ¿está enfermo?, ¿tiene mal carácter?...

Él es un niño exquisito..., de modo que sólo puede ser *eso*, y eso abre el camino para todo lo demás. Después de todo —dije—, es culpa de su tío. ¡Si él permitió en la casa gente de esa índole!

—En realidad, él no sabía nada de ellos, la culpa es mía. —La señora Grose se puso extraordinariamente pálida.

—Bueno, no sufra usted por ello —respondí.

—¡Los niños son quienes no deben sufrir! —dijo enfáticamente.

Guardamos silencio por unos instantes, mientras nos mirábamos una a la otra.

—¿Entonces, qué debo decirle?

—No necesita decirle nada, yo se lo diré.

Medí sus palabras.

—¿Quiere decir que le escribirá? —recordé que no sabía escribir, y me arrepentí de haber dicho eso—. ¿Cómo se comunicará con él?

—Se lo dictaré al mayordomo, él sabe escribir.

—¿Y le gustaría a usted que el mayordomo supiera nuestra historia?

Mi pregunta tenía un tono sarcástico que en realidad yo no me propuse darle, y provocó un nuevo derrumbamiento de la señora Grose. Volvieron a aparecer las lágrimas en sus ojos.

—Muy bien..., esta noche. —Le dije, para terminar nuestra conversación, y con eso nos separamos.

XVII

*A*quella noche solamente pude comenzar. El tiempo había cambiado, soplaba un gran viento y a la luz de la lámpara, ya en mi habitación y con Flora durmiendo plácidamente, me senté durante largo rato delante de una hoja de papel, escuchando el golpetear de la lluvia y las ráfagas de viento. Finalmente, tomé una vela y salí. Crucé el pasillo y escuché durante un minuto en la puerta de Miles. Lo que, bajo mi interminable obsesión, me había impulsado a escuchar, era la necesidad de captar algún sonido que delatara que no estaba dormido, y realmente lo capté, aunque no en la forma en que había esperado; de pronto escuché su voz:

—Sé que está ahí..., entre. —¡Su voz era tan clara que pareció iluminar la penumbra!

Entonces yo entré con mi luz y lo encontré en la cama, completamente despierto y muy tranquilo.

—Bien; ¿qué hace levantada? —preguntó con una gracia sociable que me hizo pensar en que, si la señora Grose estuviera presente, no hubiera sido capaz de interpretar nada malo en esa situación. Entonces me detuve de pie a su lado, sosteniendo mi vela.

—¿Cómo supiste que yo estaba afuera?

—Bueno, pude oírla, por supuesto. ¿Usted cree que no hace ruido? ¡Es como una tropa de caballería! —y se echó a reír encantadoramente.

—Entonces, ¿no estabas dormido?

—¡No mucho! Estaba acostado, pero despierto y pensando.

A propósito yo había puesto la vela a una cierta distancia; luego, cuando él me tendió la mano, yo la tomé y me senté en el borde de la cama.

—Bueno —dije—, ¿y en qué pensabas?

—¿En qué podría pensar, querida, sino *en usted*?

—¡Oh, me siento tan orgullosa de ese aprecio que me demuestras!; pero la verdad es que preferiría que estuvieras durmiendo a esta hora.

—Bueno, pero también pensaba, ¿sabe?, en ese curioso asunto nuestro.

Sentí la frialdad de su firme manita.

—¿Qué curioso asunto, Miles?

—Oh, la forma en la que lleva usted mi educación. ¡Y todo lo demás!

Contuve durante unos instantes la respiración, e incluso al débil resplandor de la vela pude ver cómo me sonreía desde su almohada.

—¿Qué quieres decir con "todo lo demás"?

—¡Oh, ya lo sabe, usted ya lo sabe!

Durante un minuto no pude decir nada, aunque tuve la sensación, mientras sujetaba su mano y nuestros ojos seguían fijos los unos en los otros, de que mi silencio tenía todo el aire de admitir su acusación, y de que nada en todo el mundo de la realidad era quizá en ese momento tan fabuloso como nuestra relación.

—Ciertamente deberías volver a la escuela —dije—, si es eso lo que te preocupa. Pero no a la antigua escuela..., tenemos que encontrar otra, una mejor. ¿Cómo puedo saber lo que te preocupa si nunca me has dicho nada, si nunca me has hablado de ello? —Su rostro, enmarcado en la blancura de la almohada, mirándome, lo convirtió por unos momentos en algo tan digno de compasión como un pensativo paciente en un hospital infantil; y cuando la comparación acudió a mí comprendí que hubiera dado todo lo que poseía en la tierra por ser la enfermera o la hermana de la caridad que pudiera ayudarlo a curarse. Bueno, incluso como estaban las cosas, quizá pudiera ayudar—. ¿Sabes que nunca me has dicho nada acerca de tu escuela?; es decir, la antigua escuela; ¿por qué nunca la has mencionado?

Pareció sorprenderse, pero sonrió con la misma dulzura de siempre, aunque yo sentí que estaba tratando de ganar tiempo; tal vez esperaba, pedía consejo.

—¿De veras? —Me contestó; y entonces yo tuve la sensación que no era de mí que esperaba el consejo, ¡sino de la cosa con la que yo me había enfrentado!

Algo en su tono de voz y en la expresión de su rostro hacía que me doliera el corazón con una punzada que nunca antes había sentido, era extremadamente conmovedor ver cómo su pequeño cerebro se encontraba desconcertado ahora, y sus pequeños recursos puestos a prueba para mantener en aquellos difíciles momentos un aire de inocencia y consistencia.

—No, nunca..., desde el momento en que volviste. Nunca me has mencionado a alguno de tus maestros, a ninguno de tus compañeros, ni siquiera la cosa más insignificante que te hubiera ocurrido en la escuela. Es por eso que puedes imaginarte que en ese tema yo estoy completamente a oscuras. Hasta esta mañana, nunca habías hecho referencia a nada de tu vida anterior; tú parecías aceptar perfectamente esta situación. —Era extraordinario cómo mi absoluta convicción de su precocidad, o como quiera llamarse a ese veneno de una influencia que sólo me atrevía a mencionar a medias, le hacía, pese a su gran inquietud interior, aparecer externamente como una persona mayor, obligándome a tratarlo como a mi igual—. Yo pensé que deseabas seguir como hasta ahora.

Me sorprendió que se ruborizara un poco a causa de nuestra conversación, y agitó un poco la cabeza, como un convaleciente algo fatigado.

—No, no es así..., lo que quiero es irme.

—¿Estás cansado de Bly?

—Oh, no, me gusta mucho Bly.

—¿Entonces?

—¡Oh, usted sabe lo que necesita un chico!

Tuve la sensación de que no lo sabía tan bien como el propio Miles y me puse a la defensiva.

—¿Quieres ir con tu tío?

Ante esta pregunta, manteniendo su dulcemente irónica sonrisa, hizo un movimiento sobre la almohada.

—¡Se ve que usted no puede dejar de pensar en eso!

Yo guardé silencio unos instantes, y creo que fue entonces que cambió de color.

—¡Oh, querido, yo no quiero dejar de pensar en eso!

—Pues aunque quisiera, no puede..., ¡no puede! —Me miró fijamente—. Mi tío tiene que venir aquí, y usted tiene que solucionar las cosas, todas las cosas.

—Si lo hacemos —respondí, un poco más animada—, puedes estar seguro de que será para enviarte muy lejos.

—Bueno, ¿no comprende que eso es exactamente lo que quiero? Usted tendrá que *decírselo*..., y explicarle por qué no ha dicho nada hasta ahora. ¡Tendrá que decirle un montón de cosas!

La vehemencia con la que dijo todo aquello de alguna forma me ayudó a situarme a su altura.

—¿Y cuántas cosas tendrás que decirle tú, Miles? ¡Te va a preguntar muchas cosas!

Él me devolvió la pelota:

—Es muy probable, pero, ¿qué cosas?

—Las cosas que nunca me has contado, para que sepa qué tiene que hacer contigo. No puede enviarte de vuelta...

—¡No quiero volver! —estalló—. ¡Quiero un nuevo campo!

Lo dijo con exaltación, pero al mismo tiempo con una admirable serenidad, con una especie de alegría; y sin duda fue aquello lo que me hizo ver la conmovedora, la innatural tragedia de su posible reaparición al final de aquellos tres meses, con todas sus bravatas y su aún mayor deshonor. Entonces me sentí abrumada por el sentimiento de que no sería capaz de soportarlo, y aquello hizo que me dejara llevar. Me arrojé sobre él y lo abracé con la mayor ternura que podía brotar de mi compasión.

—¡Mi querido Miles! ¡Mi pequeño y querido Miles!

Mi rostro estaba muy cerca del suyo, y él me dejó que lo besara, simplemente para satisfacerme.

—¿Sí, mi querida dama?

—¿Estás seguro de que no hay nada que quieras decirme?

Se volvió un poco hacia un lado, mirando a la pared y alzando la mano como he visto que hacen a veces los niños enfermos.

—Ya se lo he dicho..., se lo dije esta misma mañana.

¡En esos momentos yo sentía tanta lástima por él!

—¿Que lo único que quieres es que no te moleste?

Me miró de nuevo como si se diera cuenta de que por fin lo había comprendido, y entonces me dijo con mayor suavidad que nunca:

—Que me deje tranquilo.

Al decir estas palabras había en él una pequeña y extraña dignidad, algo que hizo que dejara de abrazarlo y me pusiera de pie, aunque permanecí a su lado. Dios sabe que yo nunca quise importunarlo, pero tenía la sensación de que si ahora le daba la espalda era como si lo abandonara, o más exactamente, lo perdería.

—Acabo de empezar a escribir una carta para tu tío —le dije.

—¡Bien, entonces termínela!

Aguardé un minuto.

—¿Qué ocurrió antes?

Levantó de nuevo la vista hacia mí.

—¿Antes de qué?

—Antes de que volvieras. Y antes de que te fueras.

Guardó silencio durante un rato, pero siguió mirándome fijamente.

—¿Qué ocurrió? —dijo.

El sonido de aquellas palabras en las que creí captar por primera vez una vacilación por parte de él, un asomo de que podía ceder, me hizo caer de rodillas al lado de la cama y aferrarme una vez más a la posibilidad de no perderlo.

—Mi querido Miles; mi querido pequeño Miles; ¡si tú supieras cómo deseo ayudarte! Es sólo eso, no es nada más que eso, y te aseguro que antes moriría que hacerte el menor daño, ¡mi pequeño Miles! —se lo dije, aunque eso significara ir demasiado lejos—; ¡sólo deseo que me ayudes a salvarte! —Pero en ese mismo momento me di cuenta de que había ido demasiado lejos. La respuesta a mi llamada fue instantánea, pero vino en forma de una ráfaga extraordinaria, un viento gélido y una especie de vibración tan grande en la habitación como si, ante el empuje del aire, la ventana se hubiese hecho añicos. Entonces el niño lanzó un grito agudo, como un chillido que, perdido en medio de los demás sonidos, lo mismo hubiera parecido una expresión de euforia que de terror. Saltando de nuevo en pie fui consiente de la repentina oscuridad. Y así estuvimos unos instantes, mientras yo miraba a mi alrededor y veía cómo las cortinas estaban inmóviles y las ventanas cerradas

—¡Se ha apagado la vela! —exclamé.

—Yo la sople, querida —dijo Miles.

XVIII

Al día siguiente, después de las lecciones, la señora Grose encontró un momento para preguntarme:

—¿Ha escrito, señorita?

—Sí, he escrito. —Pero no le dije que la carta, ya membreteada y sellada, se encontraba todavía en mi bolsillo. Habría tiempo suficiente para enviarla antes de que el mensajero tuviera que ir al pueblo. Mientras tanto, por parte de mis pupilos, no habíamos tenido una mañana más brillante y ejemplar en todo sentido. Era como si ambos se hubiesen propuesto borrar cualquier posible fricción conmigo. Realizaron verdaderas hazañas en aritmética, incluso llegaron a situarse muy por encima de mis pobres conocimientos, y con un espíritu más elevado que nunca hicieron toda clase de bromas históricas y geográficas. Esa extraordinaria lucidez se remarcaba especialmente en Miles, quien parecía querer mostrarme que fácilmente me podía superar en todo. En mis recuerdos, este niño se confunde en un halo de belleza y al mismo tiempo de miseria que no se podría reproducir en palabras; en cada una de sus actitudes había una distinción que nunca había yo visto en ningún niño, y sin embargo, era completamente natural, todo franqueza y libertad para los ojos no informados, era en realidad un pequeño caballero de lo más gentil e ingenioso. Yo tenía que recordar constantemente mis convicciones para no traicionarme en la maravilla de su contemplación; controlar la irrelevante mirada y el desanimado suspiro con los cuales atacaba y renunciaba constantemente a revelar el enigma de qué era aquello que había hecho de él un pequeño caballero, y por qué había llegado a ser merecedor de un castigo. Digamos que, por los oscuros prodigios que conocía, la imaginación de todo mal se había abierto en él, y toda la angustia dentro de mí ansiaba encontrar la prueba de que alguna vez aquella maldad se había podido manifestar en actos.

De cualquier modo, nunca mostró tanto su faceta de pequeño caballero como cuando, tras comer temprano aquel terrible día, se me acercó y me preguntó si me gustaría que tocara media hora para mí. Ni David, tocando para Saúl hubiera podido mostrar nunca un sentido más espléndido de la oportunidad, aquello era exactamente lo mismo que si me hubiera dicho: "Los auténticos caballeros de los que tanto nos gusta leer se aprovecharon demasiado de su ventaja. Yo sé lo que piensa ahora, piensa que para que la dejen tranquila y no la persigan, dejará de preocuparse por mí y de espiarme, ya no me mantendrá tan pegado a sus faldas, me dejará ir y venir por mi cuenta. Bueno, yo he 'venido', ¿ve?..., ¡pero no me voy! Ya habrá tiempo para eso. Me encanta realmente estar en su compañía y sólo quiero mostrarle que si me he peleado, fue tan sólo por una cuestión de principios". Por supuesto yo no pude negarme a su invitación y juntos fuimos a la sala de estudios, donde él se sentó en su viejo piano y tocó como nunca lo había hecho. Si hay quien opina que un chico de su edad hubiera estado mejor dando patadas a un balón de fútbol, déjenme decirles que estoy completamente de acuerdo con ellos. Porque al final de un tiempo que, bajo su influencia, había dejado de medir el tiempo, de pronto me di cuenta de que había permanecido en una especie de letargo parecido al sueño. Fue después de la comida y junto al fuego del cuarto de estudios, y yo estaba consciente de que no me había dormido, sino que me había pasado algo totalmente diferente: me había invadido el olvido. ¿Dónde había estado Flora durante todo ese tiempo? Cuando le hice la pregunta a Miles, siguió tocando un minuto más antes de responder, y entonces sólo pudo decir:

—¡Oh, querida! ¿Cómo puedo saberlo? —y con esas palabras dejó escapar una risilla, como si fuera el acompañamiento vocal de una canción.

Entonces fui directamente a mi habitación, pero la niña no se encontraba ahí; antes de bajar las escaleras revisé las otras habitaciones. Como no la encontré por ningún lado, pensé que podría estar con la señora Grose; la idea me tranquilizó y fui en su busca. Encontré a la señora en la misma posición de la noche anterior, pero me respondió asustada que no sabía nada de la niña. Ella había supuesto que, después de comer, yo me había llevado a los dos niños, y desde luego tenía todo el derecho de suponer eso, porque esa era la primera vez que yo dejaba que la niña se apartara de mi vista sin ninguna precaución. Era posible que estuviera con alguna de las doncellas, así que la señora Grose y yo nos dedicamos a buscarla con ellas sin despertar la menor alarma. Eso fue lo que acordamos, pero al pasar diez minutos, conforme lo habíamos convenido, nos encontramos de nuevo en el vestíbulo, tan sólo para darnos mutuamente la noticia de nuestro fracaso. Durante un minuto, lejos de la vista de los sirvientes, nos dedicamos a comentar la situación, ahora ya con verdadera alarma, y entonces mi amiga pareció cobrármelas todas con un alto interés.

—Estará arriba—, dijo al fin, —en una de las habitaciones en que no ha buscado.

—No, está más lejos —Yo había sacado mis conclusiones—. Ha salido de la casa.

La señora Grose se me quedó mirando.

—¿Sin sombrero?

Le devolví la mirada con un gesto adusto.

—¿Acaso *esa mujer* no va siempre sin sombrero?

—¿Está con..., *ella*?

—¡Está con ella! —declaré enfáticamente— Tenemos que encontrarla.

Apoyé mi mano en el brazo de mi amiga, pero ella no pareció darse cuenta; enfrentada con aquella noticia parecía paralizada; permaneció allí, de pie y viviendo su inquietud.

—¿Y el señorito Miles?

—Oh, él está con Quint. Seguramente en el aula de estudio.

—¡Por el amor de Dios, señorita! —Yo misma me daba cuenta de que mi aspecto, y seguramente también el tono de mi voz, revelaban una gran calma y seguridad.

—El truco ha funcionado —dije—; han llevado a cabo con éxito su plan. Él ha encontrado una manera divina de mantenerme ocupada mientras ella salía de la casa.

—¿Divina? —hizo eco la asombrada señora Grose.

—¡O infernal! —rectifiqué, casi alegremente—. Y él también hizo lo que quería. ¡Pero vamos!

Lanzó una mirada impotente hacia la parte superior de la casa.

—¿Va a dejarlo?

—¿Tanto tiempo con Quint? Sí..., ahora ya no importa.

En esos momentos, la señora siempre terminaba tomando mi mano, y de esa manera pudo también retenerme por unos instantes. Pero tras sentir la autenticidad de mi renuncia de ir al rescate de Miles, me dijo:

—¿Es por su carta?

Como respuesta busqué rápidamente mi carta, la saqué y se la tendí, y luego, liberándome de su mano, fui al vestíbulo y la dejé sobre la gran mesa.

—Luke la recogerá —dije, y luego fui a la puerta delantera y la abrí, en un instante ya estaba en los peldaños de la entrada.

Mi compañera aún dudaba, la tormenta de la noche anterior y de la primera hora de esa mañana ya habían pasado, pero la tarde era húmeda y gris. Bajé al sendero mientras ella permanecía de pie en el umbral.

—¿Va a ir sin echarse nada encima?

—¡Qué me importa cuando la niña no lleva nada! No puedo esperar a vestirme —exclamé—; pero si usted necesita hacerlo tendré que dejarla; si quiere puede ira sola allá arriba.

—¿Con *ellos*?

¡Y la pobre mujer se reunió conmigo de inmediato!

XIX

*F*uimos directamente al lago, como lo llaman en Bly, y me atrevería a decir que hacían bien en llamarlo así, aunque era posible que se tratase de una extensión de agua menos grande de lo que parecía a mis ojos inexpertos. Mis conocimientos sobre las extensiones de agua eran pequeños y el estanque de Bly, en las pocas ocasiones que tuve oportunidad, junto a mis pupilos, de enfrentarme a su superficie en el viejo bote de fondo plano que había amarrado en la orilla para nuestro uso, me había impresionado por la agitación de sus aguas, por lo que era de suponerse que tenía una considerable profundidad. El lugar de embarque se encontraba a unos ochocientos metros de la casa, pero yo tenía la íntima convicción de que, estuviera donde estuviera Flora, no se hallaba cerca de la casa. No se había escapado de mí para una pequeña aventura y, desde el día de la gran aventura que había compartido con ella junto al estanque, en otros de nuestros paseos me había dado claramente cuenta de los lugares a los que se sentía más inclinada. Fue por eso que ahora podía guiar los pasos de la señora Grose hacia una dirección determinada, una dirección a la que ella, cuando se dio cuenta, opuso una resistencia que me demostró que se sentía de nuevo desconcertada.

—¿Va hacia el agua, señorita? ¿Cree que ella está en...?

—Es posible, aunque creo que ahí la profundidad no es muy grande, pero yo creo que es muy probable que se encuentre en el mismo lugar donde, el otro día, vimos juntas lo que le conté.

—¿Cuándo ella fingió no ver...?

—Sí, con esa sorprendente seguridad en sí misma. Siempre he estado segura de que deseaba volver sola, y ahora su hermano lo ha conseguido por ella.

La señora Grose seguía de pie allá donde se había detenido.

—¿Supone que realmente hablan con ellos?

Pude contestarle con toda seguridad.

—Sí, y dicen cosas que, si las oyéramos, nos causarían un gran asombro.

—¿Y si ella está allí?

—¿Sí?

—¿Eso significa que también está la señorita Jessel?

—Sin la menor duda, ya lo verá.

—¡Oh, Dios mío! —exclamó mi amiga, plantada tan firmemente en medio del camino que yo decidí adelantarme o incluso seguir sin ella. Sin embargo, cuando llegué al estanque, ella estaba pegada a mis talones, y supe que, fuera lo que fuese que me ocurriera, el permanecer junto a mí representaba para ella un peligro menor. Dejó escapar un suspiro de alivio cuando finalmente llegamos a la vista de la mayor parte del agua y no vimos por ninguna parte a la niña. No había huellas de Flora en este lado de la orilla, donde me había sobresaltado de aquel modo, y tampoco se la veía en la otra orilla, donde, salvo una franja de unos veinte metros, un denso bosquecillo descendía hasta casi tocar el estanque. Aquella extensión, de forma oblonga, era tan estrecha comparada con su longitud que, con sus extremos fuera de la vista, hubiera podido tomarse por un ancho río. Contemplamos la vacía extensión, y en seguida percibí en los ojos de mi amiga que quería decirme algo; pero yo adiviné lo que pensaba y respondí con un gesto negativo de la cabeza.

—¡Pero no, espere, se ha llevado el bote!

Mi compañera contempló el embarcadero vacío y luego el otro lado del lago.

—Entonces, ¿dónde está?

—El que no lo veamos es la mejor de las pruebas. Ella ha usado el bote para cruzar el lago, y luego ha conseguido esconderlo.

—¿Ella sola..., esa niña?

—No está sola, y en estos momentos no es una niña; es una mujer vieja, vieja. —Examiné toda la orilla visible mientras la señora Grose se sumía de nuevo, ante el extraño elemento que yo le ofrecía, en uno de sus devaneos mentales; entonces le señalé que el bote podría estar perfectamente en un pequeño refugio formado por uno de los recodos del estanque, en una entrada medio oculta desde este lado por una saliente formada por un grupo de árboles que se adentraban en el agua.

—Pero si el bote está ahí, ¿dónde demonios está ella? —preguntó ansiosamente mi colega.

—Eso es exactamente lo que debemos averiguar. —Le dije mientras echaba a andar.

—¿Daremos la vuelta a todo el lago?

—Por supuesto, por lejos que esté, sólo nos tomará unos diez minutos, pero eso es lo bastante lejos para haber hecho que la niña haya preferido no caminar, y entonces tomó la barca y fue en línea recta.

—¡Dios mío! —exclamó de nuevo mi amiga; la cadena de mi lógica siempre había sido demasiado corta para ella. Entonces se pegó de nuevo a mis talones, y cuando habíamos recorrido la mitad del camino —un proceso largo y agotador, pues nos encontrábamos sobre un terreno muy irregular e íbamos por un sendero lleno de maleza— hice una pausa para dejar que recuperara el aliento. Entonces la sostuve con un brazo agradecido, y le aseguré que ella era de gran ayuda para mí; eso nos hizo recuperar las fuerzas, de modo que en unos pocos minutos más alcanzamos un punto desde donde divisamos el bote, que se encontraba precisamente donde yo había supuesto. Había sido dejado intencionalmente tan oculto a la vista como era posible, y estaba atado a uno de los postes de una cerca que, justo ahí, llegaba hasta el borde del agua y había sido también de gran ayuda para desembarcar. Cuando contemplé el par de cortos y gruesos remos bien recogidos dentro de la barca, reconocí que aquella había sido una verdadera hazaña para una niña pequeña como Flora; pero por aquel entonces había vivido demasiado tiempo entre maravillas y me había quedado sin aliento demasiadas veces ante cosas más asombrosas que esa. En la cerca había una puerta, y cruzamos por ella hasta que llegamos a un lugar más abierto. Y entonces:

—¡Allá está! —gritamos al unísono.

A poca distancia estaba Flora, de pie sobre la hierba, y sonreía como si su representación estuviera ahora completa. Lo siguiente que hizo fue agacharse y arrancar —como si hubiera ido hasta allá sólo para eso— una gran rama marchita de helecho. Apenas al verla tuve la seguridad de que acababa de salir de entre los matorrales. Nos aguardó sin dar un solo paso, y yo me di cuenta de la rara solemnidad con la que nos acercábamos a ella. Entonces sonrió con el mayor candor que pudo y por fin llegamos junto a ella, pero todo se hizo en medio de un gran silencio. La señora Grose fue la primera en romper el conjuro de aquel silencio, se dejó caer de rodillas y, atrayendo a la niña hacia su pecho, abrazó tiernamente su cuerpecito. Mientras duró aquella efusión yo sólo pude mirar, lo que hice con especial intensidad cuando me di cuenta de que Flora me observaba de soslayo por encima del hombro de la señora. Ahora estaba seria; la sonrisa había desaparecido; pero aquello reforzó el sentimiento que se me produjo en ese momento, pues yo envidiaba a la señora Grose por la simplicidad de su relación con la niña: durante todo aquel tiempo no ocurrió nada más entre nosotras, excepto que Flora dejó caer al suelo su ridículo helecho. Lo que ella y yo nos dijimos virtualmente era que esa clase de pretextos no servían de nada ahora. Cuando la señora Grose se levantó por fin, retuvo la mano de la niña y las dos estaban todavía delante de mí, y la singular reticencia de nuestra comunión se vio acentuada por la franca mirada que me lanzó y que parecía decirme que ella no estaba dispuesta a dejarse atrapar tan fácilmente.

Fue la niña quien, mirando a su alrededor con cándida sorpresa, habló primero. Aparentemente estaba sorprendida de que lleváramos la cabeza descubierta.

—¿Dónde están sus sombreros?

—¿Y dónde está el tuyo, querida? —le respondí de inmediato.

Ya había regresado a ella la alegría, y tomó aquella respuesta como suficiente en sí misma.

—¿Y dónde está Miles? —siguió.

Había algo en aquella pregunta que acabó completamente conmigo; aquellas cuatro palabras surgidas de su boca fueron para mí como el destello de una espada desenvainada, la sacudida de la copa que mi mano había sostenido en alto por semanas y semanas llena hasta el borde, y que ahora, incluso antes de hablar, sentí rebosar y vaciarse completamente.

—Te lo diré si tú me lo dices a mí —me escuché diciendo, pero de inmediato noté el temblor de mi voz.

—Bueno, ¿qué?

La ansiedad de la señora Grose llegó a mí como una llama, pero ahora ya era demasiado tarde, y yo le dije con toda la suavidad que me fue posible:

—¿Dónde está la señorita Jessel, cariño?

XX

*E*xactamente igual que en el cementerio de la iglesia con Miles, la cosa ya no tenía remedio; por mucho que yo había insistido en el hecho de que este nombre no fuese pronunciado ni una sola vez entre nosotras, la intensidad de emoción con la que recibió la niña aquella mención fue como si el hecho de que el romper yo el silencio fuese como si rompiera un cristal. Añadida a esa impresión, la señora Grose lanzó un grito que secundaba un chillido que en esos momentos emitía la niña, como si estuviese muy asustada o más bien herida. Inmediatamente, yo también sentí una especie de vibración en el aire que me hizo jadear, y aferrándome al brazo de mi compañera, le dije:

—¡Está aquí!..., ¡ella está aquí!

La señorita Jessel se erguía delante de nosotras en la orilla opuesta, exactamente igual que como lo hiciera la otra vez, y recuerdo que la primera impresión que me provocó fue un estremecimiento de alegría, pues ahí estaba la prueba de todo lo que había dicho. Ella estaba ahí, de modo que yo estaba justificada. Ella estaba ahí, así que yo no era una persona cruel ni estaba loca. Ella estaba ahí y era visible para la pobre y asustada señora Grose; pero estaba ahí sobre todo por Flora, y ninguna de las experiencias anteriores fue tan extraordinaria como ese momento en el que le lancé —con la sensación de que, siendo yo como era un demonio pálido y voraz, podía captarlo y comprenderlo— un inarticulado mensaje de gratitud. Ella se irguió en el lugar en que mi amiga y yo habíamos estado hacía poco y parecía llenar todo el espacio con su maldad. Esa primera y clara visión fue cosa de pocos segundos, durante los cuales el asombrado parpadeo de la señora Grose mirando hacia donde yo señalaba, me satisfizo al demostrarme que ella también veía, por lo que yo me permití volver mis ojos hacia la niña. Entonces me sobresaltó la revelación de la forma en que la niña se veía afectada, porque yo, por supuesto, no esperaba aquellas muestras de absoluta consternación. Preparada y en guardia al saber que la buscábamos, haría todo lo posible por ocultar cualquier cosa que la traicionara; así que me sentí sacudida al observar algo que parecía totalmente incongruente. Verla, sin la menor expresión en su carita sonrosada, sin siquiera fingir una mirada hacia el prodigio que yo señalaba, sino solamente, volver *hacia mí* una expresión de dura y seria gravedad, una expresión completamente nueva y sin precedentes en nuestra relación, que parecía leer en mí y expresaba acusación y juicio. Aquello convertía a la niña en una figura portentosa. Quedé con la boca abierta ante su frialdad, pese a que mi certeza de que ella veía a la señorita Jessel no fue nunca tan grande como en aquellos instantes; y entonces, con la necesidad inmediata de defenderme, la animé con vehemencia para que me sirviera de testigo.

—¡Ella está allí! ¡Tú puedes mirarla!..., ¡estoy segura de que puedes verla como me estás viendo a mí! —yo le había dicho poco antes a la señora Grose que en esos momentos ella no era una niña, sino una mujer vieja, y mi descripción de ella no hubiera podido confirmarse de manera más enfática en la forma en que, por toda respuesta, simplemente me mostró, sin ninguna concesión o admisión, un rostro de cada vez más profunda y absoluta reprobación. Entonces me sentí (y trato de reconstruir fielmente toda la escena) más abrumada por la actitud de la niña que por cualquiera otra cosa; aunque me di cuenta al mismo tiempo de que tenía que ocuparme también, y muy intensamente, de la señora Grose. De todos modos, mi compañera trató de borrarlo todo, excepto su rostro enrojecido y su fuerte protesta, que se manifestó en un estallido de enojo:

—¡Vaya broma que nos ha gastado, señorita, vaya broma! ¿Dónde demonios ve usted algo?

No pude hacer otra cosa que tratar de enfrentarla de nuevo con aquella presencia que seguía ahí, clara y horrible. Llevaba ya más de un minuto, y todavía permanecía ahí mientras yo hablaba con mi compañera y la sacudía, insistiendo en señalarla con la mano.

—¿Es que no la ve como la vemos nosotras? ¿No la está viendo ahora? ¡Ella es tan grande como un fuego llameante! ¡Sólo mire, querida..., *mire*!

Pero ella miraba hacia mí, y con ello me proporcionó, con sus gruñidos y su negación (mezcladas con piedad) la sensación, de cierta manera consoladora para mí, de que ella me hubiese respaldado si hubiera sido capaz de hacerlo. Y yo bien hubiera necesitado, pues con aquel duro golpe de que sus ojos estaban irremediablemente sellados, sentí que mi posición se derrumbaba horriblemente. Sentí (vi) a mi lívida predecesora hacer presión sobre mi derrota desde su sitio, y entonces supe, por encima de todo lo demás, de que a partir de entonces debería enfrentarme con la abrumadora actitud de Flora; además de que esa actitud se vería reforzada por la señora Grose, horadando mi sensación de ruina con un prodigioso triunfo personal, tranquilizándola entrecortadamente.

—No está aquí, señorita, aquí no hay nadie..., ¡y usted nunca ve nada, querida! ¿Cómo puede estar ahí la pobre señorita Jessel, cuando ella está muerta y enterrada? *Nosotras* lo sabemos, ¿verdad mi amor? —dijo hacia la niña—. Todo esto no es más que un lamentable error, una broma, o muchas ganas de angustiarse. Ahora debemos volver a casa tan rápido como podamos.

La niña respondió a esas palabras con una extraña y afectada corrección. Y ahí estaban ambas de nuevo, con la señora Grose a sus pies, unidas en ofendida oposición hacia mí. Flora seguía mirándome con su pequeña máscara de reproche; y en aquel instante le recé a Dios para que me perdonara por creer ver que, mientras ella permanecía ahí, fuertemente asida al vestido de la señora, su incomparable belleza infantil había sufrido un brusco cambio, se había desvanecido por completo. Ya lo he dicho, en esos momentos era literal y odiosamente horrible, se había convertido en un ser vulgar y hasta grotesco.

—Yo no sé lo que quiere decir, no veo a nadie; nunca he visto nada. Usted es cruel, ¡no la quiero! —tras pronunciar estas palabras, que podían haber sido las de una vulgar niña de la calle, abrazó a la señora Grose con más fuerza y enterró en su falda su espantosa carita. En esta posición lanzó un reclamo casi furioso a la señora Grose—: ¡Lléveme lejos de aquí; lléveme lejos de aquí... oh, por favor, lléveme lejos de ella!

—¿Lejos de mí? —dije yo en un jadeo.

—¡Sí, de usted..., de usted! —gritó la niña.

Incluso la señora Grose me miró desalentada, mientras yo no podía hacer otra cosa excepto comunicarme de nuevo con la figura que se encontraba en la orilla opuesta, tan rígidamente inmóvil como si a través de la distancia pudiera escuchar nuestras voces; ella asistía a mi desastre confiando en su pretendida invisibilidad, como si no estuviera ahí precisamente para darme la razón.

La desdichada niña había hablado exactamente como si hubiera sacado cada una de sus lacerantes palabras de alguna fuente externa, y entonces lo único que pude hacer, en plena desesperación por todo lo que tenía que aceptar, fue mirarla, sacudir la cabeza y decirle:

—Si alguna vez dudé, ya todas mis dudas han desaparecido. He estado viviendo yo sola con la miserable verdad, y ahora ésta me ha rodeado por todas partes. Ya sé que te he perdido; yo he interferido, y tú lo has visto, bajo *sus* reglas —le dije, mientras miraba a nuestra infernal testigo—, la manera más fácil y perfecta de conseguirlo. He hecho todo lo que he podido, pero ahora siento con claridad que te he perdido. ¡Adiós! —Y para la señora Grose tuve una expresión casi frenética—: ¡Y usted, váyase, váyase! —ante mis palabras y con un infinito desánimo, pero poseída secretamente por la niña y convencida, pese a su ceguera de que algo horrible estaba sucediendo y algo se había derrumbado para sepultarnos, se fue por el mismo camino por el que habíamos venido, tan rápido como le fue posible.

Yo no conservo recuerdo alguno de lo primero que ocurrió cuando me quedé sola. Solamente puedo suponer que después de un cuarto de hora, una dolorosa humedad y una aspereza que me helaban y penetraban en mis sentidos me hizo comprender que me había arrojado de bruces en el suelo para dar rienda suelta a ese inmenso dolor que me abrumaba. Debí permanecer allí mucho tiempo llorando desesperadamente, porque cuando alcé la cabeza el día ya casi había desaparecido. Me puse en pie y miré por un momento, a través del atardecer, al gris estanque y a su orilla frecuentada por fantasmas, y luego emprendí mi lastimosa y difícil caminata de vuelta a la casa. Cuando llegué a la puerta de la cerca, para mi sorpresa, el bote había desaparecido, de manera que tuve una nueva reflexión sobre cuáles serían mis posibles alternativas de acción ahora que Flora parecía dominar la situación. Aquella noche pasó sin mayores contratiempos, y con el mejor de los tácitos acuerdos, el no vernos mutuamente la señora Grose y yo. De hecho no vi a ninguna de las dos a mi regreso, pero, por otra parte, tuve una ambigua compensación, pues estuve mucho tiempo con Miles. Lo vi —y no puedo usar otra expresión—mucho más de lo que lo había visto anteriormente. Ninguna de las noches que había pasado en Bly había tenido la extraordinaria cualidad de esta noche; pese a lo cual —y pese también al profundo abismo de consternación que se había abierto debajo de mis pies—, yo sentía el reflujo de una extraordinariamente dulce tristeza. Cuando llegué a la casa ni siquiera intenté buscar al niño; fui directamente a mi habitación para cambiarme de ropa y ahí pude constatar, con una simple mirada, el testimonio físico de la ruptura con Flora, pues todas sus cosas habían sido retiradas. Más tarde, junto al fuego en el aula de estudio, la doncella me sirvió el té, y yo no le hice ninguna pregunta respecto a mi otro pupilo. Ahora tenía la libertad que tanto anhelaba..., ¡y podía quedársela hasta el final! Él hizo uso de esa libertad, y ella consistió en —al menos en parte— el acudir hacia las ocho y sentarse conmigo en silencio. Tras retirar el servicio del té yo había apagado las velas y acercado mi sillón al fuego; sentía un frío mortal y tenía la impresión de que nunca podría volver a calentarme de nuevo. Así que, cuando él apareció, yo estaba mirando fijamente hacia las llamas y sumida en mis pensamientos. Se detuvo un momento en la puerta para mirarme y luego, como si quisiera compartir mis pensamientos, se acercó al otro lado de la chimenea y se hundió en el otro sillón. Permanecimos allí sentados en un silencio absoluto; pero yo sentí que él deseaba con sinceridad estar conmigo.

XXI

*A*ntes de que despuntara el nuevo día en mi habitación, la señora Grose me despertó con la mala noticia de que Flora tenía tanta fiebre que era posible que hubiera cogido una seria enfermedad; había pasado la noche muy inquieta, sobre todo por los miedos que le había producido, no su anterior institutriz, sino la actual. Ella no sentía angustia por la posible reaparición de la señorita Jessel, sino que todas sus aprensiones eran en mi contra. De inmediato me levanté, con un inmenso deseo de hacer preguntas; sobre todo porque percibí que la señora Grose estaba preparada para enfrentarse de nuevo conmigo. Eso se puso en evidencia tan pronto como le planteé la cuestión de si seguía creyendo en la sinceridad de la niña, y en su versión en contra de la mía.

—¿Sigue ella negando que vio, o que alguna vez viera algo?

La turbación de mi visitante era enorme.

—Oh, señorita, no es algo que yo pudiera comentar con ella. Y tampoco, debo reconocer, es que yo tenga mucha necesidad de hablar de eso. Tal parece que ella de pronto se hubiese convertido en una persona mayor.

—Oh, es como si la estuviera viendo desde aquí; seguramente se manifiesta muy resentida de que la acusen de
no decir la verdad y de que duden de su respetabilidad.
¡Cómo si la señorita Jessel fuera un ser respetable!; pero la
chiquilla sí es respetable. Yo le aseguro que la impresión
que me produjo ayer fue la más extraña de todas las que he
tenido; ella estaba metida en eso mucho más que otras veces,
¡y yo metí la pata! Ahora nunca volverá a hablarme.

Por horrible y oscuro que fuera todo aquello, mantuvo a
la señora Grose atenta y en silencio por unos minutos, y
luego aceptó mis palabras con una franqueza tal que yo
estuve segura de que me estaba ocultando algo.

—Yo creo de veras, señorita, que ella nunca más volverá
a hacerlo. ¡Se lo ha tomado muy en serio!

—Y ese "tomárselo en serio" —resumí—, es prácticamente lo único que le importa ahora.

Yo veía la constatación de mis palabras en el rostro de
mi amiga.

—Cada tres minutos me pregunta temerosa si creo que
usted se va a ir.

—Entiendo, entiendo... —Yo también, por mi lado, tenía en mente mucho más de lo que decía—. ¡Y desde ayer
no le ha dicho absolutamente nada, excepto negar su familiaridad con algo tan horrible acerca de la señorita Jessel!

—Nada en absoluto, señorita. Y, por supuesto, usted sabe
—añadió mi amiga— que allá en el lago dijo claramente
que por lo menos ahí y entonces, *no había nadie*.

—¡Exacto! Y usted, naturalmente, sigue creyendo en
ella.

—No la contradigo. ¿Qué otra cosa podría hacer?

—¡Nada en el mundo! Usted tiene que enfrentarse a la personita más lista del mundo. Ellos los han formado, sus dos amigos quiero decir, esos niños son mucho más listos de lo que los hizo la naturaleza, ¡porque disponen de una extraordinaria materia prima! Flora ahora juega el papel de ofendida, y lo llevará hasta el final.

—Sí, señorita, pero ¿*qué* final?

—Bueno, seguramente se trata de ponerme en contra de su tío. Ella me hará pasar ante él como la persona más negativa del mundo.

Di un salto ante el modo en que el rostro de la señora Grose pareció reflejar la escena. Durante un momento tuve la impresión de verlos a los dos juntos.

—¡Y él que tiene tan buen concepto de usted!

—Sí, aunque, ahora que lo pienso, tiene una forma un tanto extraña de demostrarlo —dije riendo—. Pero eso no importa. Lo que quiere Flora, por supuesto, es liberarse de mí.

Mi compañera lo admitió con toda valentía.

—Sí, dice que no quiere volver a verla nunca más.

—Entonces, a lo que ha venido usted ahora —quise saber— es a pedirme que me marche lo antes posible, ¿no? —Antes de que tuviera oportunidad de responder, yo la interpelé—; pero yo tengo una idea mejor..., resultado de mis reflexiones. Por un momento me pareció la mejor idea, y el domingo estuve a punto de llevarla a cabo. Pero no lo voy a hacer; es *usted* la que tiene que irse, y llevarse a Flora consigo.

La señora Grose se mostró muy desconcertada.

—¿Yo..., pero, a dónde?

—No sé, lejos de aquí. Lejos de ellos, sobre todo ahora..., lejos de mí; directamente a casa de su tío.

—¿Sólo para hablarle de usted?

—No, por supuesto no "sólo"; sino también para permitirme aplicar mi remedio.

Ella me miró todavía más desconcertada.

—¿Y cuál es su remedio?

—La lealtad de usted, por supuesto, y la de Miles.

—Pero..., ¿usted cree en él? —me dijo, asombrada.

—Es posible que se ponga en mi contra si se presenta la oportunidad; pero de todos modos quiero intentarlo. Usted debe marcharse con la niña tan pronto como le sea posible y dejarme sola con él. —Yo misma estaba asombrada ante las fuerzas que todavía tenía en reserva, pero también un tanto desconcertada ante la forma en la que ella, pese a sus claras demostraciones de confianza en mí, todavía dudaba—. Sin embargo hay una cosa —proseguí—. Es imprescindible que ellos no se vean antes de que ustedes se vayan, por ningún motivo, ni tres segundos. —Entonces se me ocurrió que, aunque Flora parecía encontrarse en un rapto desde su estancia en el estanque y ahora aparentemente volvía a tener cierta autenticidad, tal vez ya fuera demasiado tarde—. ¿Va a decirme —pregunté ansiosamente— que ya se han visto?

Ella enrojeció ante esta pregunta.

—¡Oh, señorita, no soy tan tonta como para eso! Si me he visto obligada a dejarla tres o cuatro veces, ha sido siempre con una de las doncellas cuidándola, y en estos momentos, aunque está sola, se encuentra bajo llave. ¡Y sin embargo..., y sin embargo! —Eran demasiadas cosas para ella.

—¿Y sin embargo qué?

—Bueno, ¿está usted segura del señorito?

—Yo no estoy segura de nada, excepto de *usted*. Pero, desde ayer por la noche tengo una nueva esperanza. Yo creo que Miles desea sincerarse conmigo. Pienso que el pobre muchachito quiere hablar. Ayer por la noche, a la luz del fuego y en silencio, estuvo sentado junto a mí por más de dos horas, y yo me di cuenta de que en algunos momentos tenía la intención de sincerarse, pero no encontraba el valor.

La señora Grose miró fijamente a través de la ventana, hacia el gris comienzo del día.

—Entonces, ¿no habló?

—No, en ningún momento pudo romper el silencio, ni siquiera para hacer alusión a la ausencia de su hermana, hasta que finalmente me dio un beso de buenas noches y se marchó. Pero de todos modos —continué—, yo no puedo permitir que se vean, especialmente si su tío va a verla a ella; es necesario concederle al niño un poco más de tiempo, sobre todo ahora que las cosas se han puesto tan mal.

Sobre este punto, mi amiga pareció más reticente de lo que yo podía comprender.

—¿Qué quiere decir con más tiempo?

—Bueno, uno o dos días..., para que finalmente se sincere. Yo creo que entonces él estará de mi lado..., por favor vea usted la importancia de ello. Si no ocurre nada, entonces eso significará que he fracasado rotundamente, y en el peor de los casos usted me habrá ayudado haciendo lo posible por mí en Londres—. A pesar de habérselo planteado tan claramente, ella siguió durante unos momentos pareciendo tan perdida en otros pensamientos que acudí de nuevo en su ayuda—. A menos, por supuesto —señalé—, que en realidad usted no quiera ir a Londres.

Entonces apareció en su rostro una firmeza que me hizo pensar que ya estaba entendiendo la dimensión de estas cosas; y acto seguido me extendió la mano como para sellar una promesa.

—¡Iré..., iré! Lo haré esta misma mañana.

Yo quise ser justa con ella.

—Está bien, pero le repito que si quiere usted quedarse, yo arreglaré las cosas para que ella no me vea.

—No, no, el problema es el lugar en sí mismo; ella tiene que irse. —Me miró fijamente con unos ojos cargados de tristeza, y luego continuó—: Su idea es la correcta; yo misma, señorita...

—¿Sí?

—Yo tampoco puedo quedarme.

La mirada que me dirigió me hizo barajar todo tipo de posibilidades.

—¿Quiere decir que, desde ayer, usted *ha visto...*?

Asintió con la cabeza con dignidad.

—¡Y también he oído!

—¿Oído?

—De esa niña, ¡horrores! ¡Aquí! —suspiró con trágico alivio—¡Por mi honor, señorita, dice cosas...! —Al decir eso se le quebró la voz y se dejó caer con un repentino llanto sobre mi sofá; al igual que otras veces dejó escapar toda la angustia que llevaba dentro.

Aunque de otra manera, yo también me desahogué.

—¡Oh, gracias a Dios!

Al oír esto tuvo un sobresalto y secó sus ojos.

—¿Gracias a Dios?

—¡Sí, porque esto me justifica!

—¡Por supuesto que sí, señorita!

No hubiera podido desear mayor énfasis en sus palabras, pero me limité a esperar.

—¿Tan horrible es?

Vi que mi compañera apenas era capaz de expresarlo.

—Realmente impresionante.

—¿Y acerca de mí?

—Acerca de usted, señorita..., tiene derecho a saberlo, va más allá de todo lo que uno pudiera imaginar en una damita como ella; yo no puedo saber dónde pudiera haber aprendido...

—¿El sorprendente lenguaje que me aplica? ¡Yo sí puedo! —Estallé en una risa que era doblemente significativa.

Pero todo eso no sirvió sino para que mi amiga se pusiera más seria aún.

—Bueno, quizá yo también debiera saberlo..., ¡puesto que he escuchado algo parecido antes! Pero no puedo soportarlo —siguió la pobre mujer mientras que, con el mismo movimiento, miraba el reloj sobre mi tocador—. Pero, tengo que irme.

La retuve un instante.

—Pero si no puede soportarlo...

—¿Quiere decir si puedo quedarme con ella? Bueno, es precisamente por eso, para alejarla de aquí. Lejos de todo esto —prosiguió—. Lejos de *ellos*

—Entonces —me apresuré a decir—, ¿piensa usted que todo podría ser diferente?; ¿que ella podría ser libre? A pesar de lo de ayer, usted cree...

—¿En todas esas manipulaciones? —La forma sencilla en que lo dijo, y su expresión, no requería más detalles, lo confesó todo como nunca se había atrevido a hacerlo—. Sí, lo creo.

Aquello era una auténtica alegría, pues ahora sí estábamos hombro con hombro; si podría continuar estando segura de todo aquello tendría que preocuparme muy poco de lo que ocurriera. Mi apoyo en presencia del desastre sería el mismo de cuando necesité por primera vez su confianza. Y si mi amiga respondía a mi honestidad yo podría responder por todo lo demás. En el momento de despedirme de ella, sin embargo, me sentí en cierto modo preocupada por algo.

—Se me ocurre que..., hay una cosa que deberíamos tener en cuenta. Mi carta dando la voz de alarma llegará a la ciudad antes que usted.

Entonces pude darme cuenta de que ella había estado dando rodeos sin saber cómo decirlo y se encontraba emocionalmente disturbada por eso.

—Su carta no habrá llegado allá, su carta no fue enviada.

—Pero, ¿qué ha pasado con ella?

—¡Sólo Dios lo sabe! El señorito Miles...

—¿Quiere decir que él la tomó? —dije con ira.

Dudó por unos instantes, pero al fin habló:

—Quiero decir que ayer, cuando volví con la señorita Flora, la carta ya no estaba ahí donde usted la dejó, y más tarde tuve oportunidad de preguntarle a Luke, y él me dijo que no había visto la carta. —Ante aquello, sólo pudimos intercambiar uno de nuestros más profundos sondeos mutuos, y fue la señora Grose la que dijo, en un tono que parecía casi de alegría.

—¡Ya lo ve!

—Sí, lo más lógico es que Miles haya tomado la carta, y probablemente la haya leído y destruido.

—¿Y no ve usted nada más?

La miré unos instantes con una triste sonrisa.

—Tengo la impresión de que esta vez sus ojos están más abiertos que los míos.

Resultó ser así, pero no pudo evitar un sonrojo.

—Ahora se me ocurre lo que debió hacer en la escuela —y agitó su cabeza, molesta por su propia perspicacia—. ¡Robar!

Le di vueltas a esa idea y quise ser más imparcial.

—Bueno, ¡tal vez!

Me miró como si le sorprendiera mi inesperada calma.

—¡Robar cartas!

Ella no podía comprender mis razones para estar tan tranquila después de todo aquello; así que se lo demostré de la mejor manera que pude.

—¡Espero que entonces les sacara más provecho que en este caso! La nota que deposité en la mesa ayer —proseguí— no le habrá proporcionado ninguna ventaja, porque sólo contenía la simple petición de una entrevista, lo que puede hacer que se sienta avergonzado de haber ido tan lejos por tan poca cosa, y que lo que tenía en la cabeza aquella noche era precisamente la necesidad de confesar. —En aquellos momentos me pareció que lo dominaba todo, que lo veía todo—. Yo se lo sacaré todo..., él me lo dirá. Yo creo que tendrá que confesar. Usted váyase ahora. Si él confiesa, estará salvado; y si se salva...

—Entonces *usted* también —la querida mujer me dio un beso, y yo lo acepté como un adiós—. ¡Yo la salvaré incluso sin la ayuda de él! —exclamó mientras se marchaba.

XXII

Sin embargo, cuando se hubo ido —y debo decir que de inmediato comencé a echarla de menos— fue cuando comenzó el verdadero problema. Si ya había contado con lo que iba a ser el hallarme a solas con Miles, comprendí en seguida que al menos eso iba a permitirme medir la situación. De hecho, ningún momento de mi estancia se había visto tan asaltado por las aprensiones que cuando bajé y supe que el carruaje que transportaba a la señora Grose y a mi pupila se encontraba ya en camino y no había nada que hacer. Ahora sí estaba cara a cara con los elementos, y durante buena parte del resto del día, mientras luchaba contra mi debilidad, llegué a la conclusión de que me había precipitado. Aquel era un lugar todavía más asfixiante de lo que me había imaginado; sobre todo porque, por primera vez, podía ver en el aspecto de los demás un confuso reflejo de la crisis. Lo que había ocurrido implicaba, por supuesto, que todos los demás se hicieran preguntas; era demasiado poco lo que se podía explicar; lo que más llamaba la atención era la repentina marcha de la señora Grose con la niña. Todos los sirvientes parecían desconcertados, y el efecto de eso sobre mis nervios era un verdadero agravante, hasta que vi la posibilidad de convertirlo en un elemento positivo. En pocas palabras, fue a causa de que yo tuve que aferrarme al timón de la casa que evité el naufragio total, y me atrevo a decir que, para tener la fuerza de resistirlo todo, aquella mañana decidí mostrarme muy segura de mí misma y muy decidida. Di la bienvenida a la idea de que tenía mucho que hacer, e hice que todo el mundo supiera también que, al ajustarme a mis propios medios, yo era capaz de mostrarme muy firme. Durante la siguiente hora y parte de la otra, estuve paseando por toda la casa, y sin duda daba la impresión de estar preparada para cualquier cosa. Así, en beneficio de quien pudiera importarle, me exhibí con el corazón acongojado.

Pero la persona a quien pareció preocuparle menos pareció ser, por lo menos hasta la hora de la comida, al pequeño Miles. En mi deambular no lo encontré por ningún lado, pero eso sirvió para hacer más público el cambio que se había producido en nuestra relación como consecuencia de haberme mantenido, el día anterior, en interés de Flora, ocupada y engañada con el piano. El asunto se había hecho público gracias al confinamiento y la partida de la niña; y el cambio se veía reiterado ahora por el quebrantamiento de nuestra costumbre de tomar lecciones diariamente en el aula de estudio. Él se había ido ya cuando, antes de bajar, abrí la puerta de su recámara y no lo encontré, y al llegar al comedor supe que ya había tomado su desayuno en presencia de un par de doncellas, pero con la señora Grose y su hermana. Luego había dicho que saldría a dar un paseo, lo que me apreció que expresaba mejor que cualquiera otra cosa su franco juicio de la repentina transformación de mi papel ahí. En qué iba a consistir mi papel a partir de entonces todavía faltaba por verse; al menos era un extraño alivio —quiero decir para mí— su renuncia a cualquier pretensión. Si tantas cosas habían salido a la superficie, difícilmente puedo exagerar si digo que lo que había quedado más claro entre nosotros era el absurdo de prolongar la ficción de que yo tenía algo que enseñarle. Era evidente que, mediante pequeños trucos tácitos de los que se servía, más él que yo, para mantener mi dignidad, había tenido que apelar a él para que me evitara el esfuerzo de tener que situarme a su propia altura. De cualquier manera, ahora podía disfrutar de su libertad, yo nunca más iba a interferir con ella, como había demostrado ampliamente además, cuando, al reunirse conmigo la noche anterior en el aula de estudio, yo no le lancé ningún desafío o le hice alusión alguna que lo pudiera poner en jaque. Desde aquel momento yo había asumido mis propias ideas. Sin embargo, cuando finalmente llegó la hora de aplicarlas, los elementos acumulados del gran problema que me aquejaba fueron puestos de inmediato en evidencia por su hermosa presencia, en la cual lo que había ocurrido hasta entonces, al menos en apariencia, no había dejado mancha ni sombra.

Para remarcar en toda la casa el gran estilo que manejaba ahora, decreté que mis comidas con el niño fueran servidas en el gran comedor de la casa, de manera que al mediodía lo aguardé en la regia pompa de la estancia, fuera de cuya ventana había recibido de la señora Grose, aquel primer asustado domingo, el destello de algo que no me atrevería a llamar luz. Al estar aquí, ahora, —como lo había sentido una y otra vez— vi cómo mi equilibrio dependía del éxito de mi rígida voluntad, la voluntad de cerrar mis ojos tan fuertemente como fuera posible a la verdad de que tenía que tratar con algo que era repugnantemente contrario a la naturaleza. Yo sólo podía seguir adelante con ello confiando en la "naturaleza" y tratando mi monstruosa prueba como un impulso hacia algo más allá de todo lo usual, pero que para hacerle frente exigía otra vuelta de tuerca de la ordinaria virtud humana. Pese a todo, ningún intento podía requerir más tacto que el de ser uno mismo el que proporcionara la *naturaleza*. ¿Cómo podía poner siquiera un poco de ello si suprimía toda referencia de lo que había ocurrido? ¿Y cómo, por otra parte, podía hacer una referencia de ese tipo sin sumergirme de nuevo en la horrible oscuridad? Bueno, pues sucedía que al cabo de un tiempo había llegado una especie de respuesta, que quedó confirmada incuestionablemente por la acelerada visión de lo que había de raro en mi pequeño compañero; de hecho, era como si él hubiese descubierto ahora —como había descubierto tantas veces en sus lecciones— otra delicada forma de facilitarme las cosas. ¿No había acaso alguna luz en el hecho de que, mientras compartíamos nuestra soledad, surgiera un brillo engañoso que nunca hasta entonces había tenido, por lo que ya no sería absurdo (si contaba con la oportunidad, con la preciosa oportunidad que ahora había surgido) que siendo un niño tan bien dotado, prescindiera de la ayuda que se podía obtener de una inteligencia privilegiada? ¿Para qué se le había dado su inteligencia si no para salvarle? ¿No podía uno, para llegar a su mente, arriesgarse a pasar por encima de su carácter? Era como si, cuando estuvimos frente a frente en el comedor, él me hubiera mostrado literalmente el camino. El cordero asado estaba sobre la mesa y yo había despedido a los sirvientes; Miles, antes de sentarse, permaneció por un momento de pie con las manos en los bolsillos y contemplando la pierna del cordero, sobre la que pareció estar a punto de emitir un juicio humorístico. Pero lo que finalmente dijo fue:

—¿Es cierto, querida, que se encuentra enferma?

—¿Te refieres a la pequeña Flora? No tanto para que no se encuentre ahora mejor. Londres le sentará bien; la verdad es que Bly había dejado de ser saludable para ella. Ven y come tu cordero.

Me obedeció en seguida, llevó cuidadosamente el plato hasta su asiento, y cuando estuvo sentado en él, siguió diciendo:

—¿Bly comenzó a sentarle mal de una forma tan brusca?

—No, no tan brusca como se podría pensar. Era algo que se venía incubando desde hace tiempo.

—Entonces, ¿por qué no se la llevó antes?

—¿Antes de qué?

—Antes de que se pusiera demasiado enferma para viajar.

Mi respuesta fue inmediata.

—Ella *no* está demasiado enferma para viajar; pero realmente se hubiera puesto enferma si hubiera permanecido aquí. Éste era el momento preciso para llevársela. El viaje disipará la influencia —¡oh, estuve magnífica!— y seguramente la anulará.

—Ah, entiendo, entiendo —Miles también estuvo magnífico. Después se dedicó a comer con sus encantadores "buenos modales de mesa" que, desde el día de mi llegada, me habían liberado de la molestia de corregirlo. Fuera lo que fuese por lo que lo habían expulsado de la escuela, seguramente no era por su incorrección en la mesa. Hoy se mostraba irreprochable, como siempre, pero estaba inconfundiblemente más alerta. Estaba intentando dar por sentadas más cosas de las que hallaba fáciles de admitir sin ayuda, y se sumió en un plácido silencio mientras examinaba su situación. Nuestra comida fue muy breve; en realidad la mía fue solamente una simulación, por lo que hice que retiraran de inmediato los platos. Mientras lo hacían, Miles se puso de nuevo en pie con las manos en sus pequeños bolsillos y de espaldas a mí, mirando por la amplia ventana a través de la cual, otro día, había tenido yo la visión que me dejó estupefacta. Seguimos en silencio mientras la doncella estaba con nosotros, tan en silencio que se me ocurrió que éramos como una pareja de recién casados que se encuentran en el hotel delante de un camarero y se sienten cohibidos por ello. Él no dijo nada hasta que la doncella se hubo retirado:

—Bien..., ¡ya estamos solos!

XXIII

—*O*h, más o menos —imagino que mi sonrisa fue pálida—; pero no del todo. ¡Imagino que eso no nos gustaría! —dije.

—No..., supongo que no. Por supuesto tenemos a los otros.

—Sí, tenemos a los otros..., realmente tenemos a los otros —reiteré.

—Sin embargo, aunque los tengamos —contestó todavía con las manos en los bolsillos y plantado delante de mí—, no cuentan mucho, ¿verdad?

Hice todo lo posible, pero la verdad era que me sentía muy insegura.

Depende de lo que tú llames "mucho".

—Sí —dijo con una absoluta conformidad—, todo depende de eso.

Tras esas palabras, sin embargo, se volvió de nuevo hacia la ventana y finalmente se acercó a ella con un paso algo torpe, como si estuviera ocupado en profundos pensamientos. Permaneció ahí, con la frente apoyada contra el cristal, contemplando los estúpidos matorrales que yo conocía tan bien y el apagado panorama de noviembre. Yo siempre tenía el hipócrita pretexto de "mi labor", amparándome en la cual me senté en el sofá. Me acomodé con ella, como había hecho repetidamente en aquellos momentos de tortura que ya he descrito como los momentos en los que yo sabía que los niños estaban dedicados a algo de lo que yo estaba totalmente excluida, y al igual que en esos casos, yo ahora me encontraba preparada para lo peor. Pero una extraordinaria impresión cayó sobre mí cuando extraje un nuevo significado a la inquieta espalda del niño; nada más y nada menos que la discreta impresión de que ahora yo no estaba excluida. Aquella deducción creció en pocos minutos hasta adquirir una aguda intensidad y pareció saltar con la percepción directa de que de alguna forma era él quien estaba excluido. El marco y los cuadrados de cristal de la gran ventana eran una especie de imagen, para él, de un gran fracaso. Yo tenía la sensación de verlo, en cualquier caso, como encerrado dentro o encerrado fuera. Se le veía admirable, pero no cómodo: capté aquello como un latido de esperanza. ¿Acaso no estaba buscando a través del hechizado cristal algo que se negaba a su vista? ¿Y no era la primera vez en todo ese asunto que conocía ese lapso? Estaba segura de que era la primera vez, y aquello era para mí un verdadero portento. Aunque intentaba controlarse, aquello lo hacía sentirse ansioso, de hecho lo había estado todo el día, e incluso mientras permanecía sentado a la mesa con sus dulces modales, había necesitado todo su extraño genio para disimularlo. Cuando finalmente se dio la vuelta para mirarme, fue casi como si el genio hubiese sucumbido.

—¡Bueno, creo que me alegro de que Bly me siente bien a *mí*!

—Sí, tal parece que en estas últimas veinticuatro horas has visto más del lugar que durante bastante tiempo antes. Espero —añadí con valentía— que hayas disfrutado de ello.

—Oh sí, he ido hasta muy lejos, he dado vueltas por todas partes, kilómetros y kilómetros. Nunca antes me sentí tan libre.

Él tenía realmente un estilo propio, y lo único que podía hacer yo era intentar mantenerme a su altura.

—Bien, ¿y te gusta?

Se quedo ahí, sonriendo, para luego resumirlo en cuatro palabras:

—¿Le gusta a *usted*? —aquéllas contenían más intención de lo que pudiera pensarse de cuatro simples palabras. Antes de que yo tuviera tiempo de digerir aquello, él siguió adelante, como si comprendiera que había sido una impertinencia que era necesario suavizar—. Nada es más encantador que la forma en que lo toma usted, porque hay que reconocer que ahora que estamos solos, es usted la que está más sola. ¡Aunque espero —añadió— que no le importe demasiado!

—¿El ocuparme de ti? —pregunté—. Mi querido niño, ¿cómo podría no importarme? Aunque he renunciado a reclamar tu compañía, que estando tú tan delante de mí, puedo disfrutar ampliamente los ratos que pasamos juntos. ¿Por qué otra cosa seguiría yo aquí si no fuera por eso?

Me miró directamente a los ojos, y la expresión de su rostro se tornó grave, pero me impresionó, como la más hermosa que hubiese visto en él.

—¿Así que usted sigue aquí sólo por *eso*?

—Ciertamente. Sigo aquí como tu amiga y por el tremendo interés que me tomo en ti y en procurar hacer lo que más te convenga. Eso no tiene por qué sorprenderte. —Mi voz tembló de tal modo que me fue imposible disimularlo—. ¿No recuerdas lo que te dije cuando me senté en tu cama la noche de la tormenta, que no había nada en el mundo que no hiciera por ti?

—Sí, sí —Él estaba cada vez más nervioso, lo que se le notaba porque tenía que hacer un esfuerzo para dominar su voz; pero en eso tenía mucho más éxito que yo y, riendo a través de su gravedad, yo podía fingir que estábamos bromeando agradablemente—. Sólo que, creo eso era para conseguir que yo hiciera algo *por usted*.

—Bueno, confieso que en parte fue para que hicieras algo por mí; pero, ¿sabes?, la verdad es que no lo hiciste.

—Oh sí, ahora recuerdo —dijo como si se tratara de la mayor de las trivialidades—; usted quería que le dijera algo.

—Eso es. Directamente, muy directamente..., eso que tienes en la cabeza, ya sabes.

—Entonces, ¿en realidad es por eso que se ha quedado?

Habló con un entusiasmo a través del cual pude captar el más exquisito estremecimiento de pasión resentida; pero no puedo expresar el efecto que me causó ese indicio de rendición tan leve. Era como si lo que tanto había ansiado llegara finalmente sólo para asombrarme.

—Bueno, sí..., yo también puedo decírtelo directamente. Es precisamente por eso.

Entonces él guardó silencio durante tanto tiempo que supuse que lo hacía a fin de repudiar la suposición en la que mi acción se había fundado; pero lo que finalmente dijo fue:

—¿Quiere decir ahora..., aquí?

—No puede haber un momento ni un lugar mejor. —Él miró a su alrededor, inquieto, y yo tuve la rara (o la inquietante) impresión de captar en él el primer síntoma auténtico de miedo. Era como si de pronto hubiera aprendido a sentir miedo y ahora lo tuviera de mí, lo que me pareció que tal vez era lo mejor que pudiera ocurrirme. Pero en ese auténtico dolor del esfuerzo, sentí que era vano intentar mostrarme severa, y me escuché a mí misma decir al momento siguiente, de una forma tan suave que a mí misma me pareció grotesca:

—¿Quieres salir a dar otro paseo?

—¡Me encantaría! —dijo, sonriendo heroicamente, y aquel toque de pequeño valor se vio reforzado al ruborizarse intensamente. Había recogido su sombrero y estaba dándole vueltas de tal forma que, cuando iba a ponérselo, me hizo sentir un perverso horror hacia lo que estaba haciendo. Hacerlo de *cualquier* forma era un acto de violencia, porque ¿qué otra cosa podía ser sino imponer por la fuerza la idea de torpeza y de culpa en una pequeña criatura indefensa que había sido para mí la revelación de las posibilidades de una hermosa amistad? ¿No era una bajeza de mi parte el crear un desasosiego en un ser tan exquisito? Supongo que ahora interpreto nuestra situación con una claridad que no podía tener en aquellos momentos, porque me parece ver nuestros pobres ojos iluminados por una chispa de angustia en avance de lo que estaba por venir. Por eso dábamos vueltas, entre terrores y escrúpulos, como unos prudentes luchadores que no se atreven a acercarse el uno al otro. Eso nos mantenía un poco en suspenso, pero sin hacernos daño.

—Se lo diré todo —dijo Miles—. Quiero decir que le diré todo lo que quiera escuchar. Se quedará conmigo y estaremos bien, y yo se lo diré todo, lo haré..., pero no ahora.

—¿Y por qué no ahora?

Mi insistencia hizo que se apartara de mí y se acercara una vez más al silencio de la ventana, y en aquel intervalo hubiera podido oírse entre nosotros la caída de un alfiler. Luego estuvo frente a mí de nuevo, con el aspecto de una persona a quien está esperando afuera alguien que es necesario ver.

—Tengo que ver a Luke.

Hasta entonces no había pronunciado una sola mentira, y mucho menos una tan vulgar, yo me sentí un poco avergonzada por él. Pero, por desagradable que fuera, sus mentiras reforzaban mi verdad. Terminé pensativamente unas cuantas puntadas de mi labor.

—Bien, entonces ve a ver a Luke, yo esperaré hasta que estés dispuesto a cumplir lo que has prometido. Pero, a cambio de eso, antes de que te vayas, te ruego que satisfagas un deseo mío que es muy simple.

Él se sentía lo suficientemente seguro como para regatear un poco.

—¿Muy pequeño?

—Sí, una simple fracción del conjunto. Dime —¡yo sentía que me movía en un terreno falso!—¿ayer por la tarde tomaste algo de la mesa del vestíbulo, ya sabes, mi carta?

XXIV

*L*a manera como recibió aquello causó durante un minuto lo que sólo puedo describir como un resquebrajamiento de mi atención..., un golpe que, cuando salté rápidamente en pie, no me permitió otra cosa que el ciego movimiento de sujetarlo, atraerlo hacia mí y, mientras me reclinaba en busca de apoyo contra el mueble más cercano, mantenerlo instintivamente de espaldas a la ventana, pues la aparición con la que ya había tenido que enfrentarme en otras ocasiones se encontraba ahí: Peter Quint se había presentado como un centinela delante de una prisión. Lo siguiente que vi fue cómo, desde afuera, había alcanzado la ventana, y supe que, muy cerca del cristal y mirando intensamente hacia el interior, ofrecía una vez más a la estancia su pálido rostro de condenado. Decir que en un segundo tomé mi decisión es una manera muy tosca de describir lo que ocurrió en mi interior ante aquella visión; pero no creo que ninguna mujer tan abrumada como yo recuperara el dominio de sí misma en tan poco tiempo y supiera lo que *tenía* que hacer. Ante el horror de aquella presencia, comprendí que lo que tenía que hacer era, viendo y enfrentándome a lo que veía, lograr por todos los medios que el niño no se diera cuenta. La inspiración—no puedo llamarla con otro nombre— fue que sentí de una manera trascendental, que yo *podía* hacerlo. Aquello era como luchar con un demonio por la posesión de un alma humana, y cuando lo había concebido de esa manera, vi cómo el alma humana —que yo sujetaba entre el temblor de mis manos— tenía una capa de sudor en su perfecta frente infantil. El rostro que estaba cerca de mí estaba tan blanco como el rostro pegado al cristal, y finalmente me llegó un sonido, ni bajo ni débil, pero como si procediera de muy lejos, que yo bebí como un soplo de fragancia.

—Sí..., yo tomé la carta.

Con una gran alegría yo abracé al niño y lo atraje hacia mí, y mientras lo abrazaba contra mi pecho, donde podía sentir en la repentina fiebre de su pequeño cuerpo, el tremendo latir de su corazón. Mantuve los ojos fijos en la cosa de la ventana y la vi moverse y cambiar de postura. Lo he comparado con un centinela, pero su lenta forma de moverse me recordó, por un momento, más bien a una bestia que no sabe cómo atrapar a su presa. Mi presente y acelerado valor, sin embargo, era tal que, para no dejarlo traslucir demasiado, tenía que atenuar de alguna manera su ardor. Mientras tanto el rostro permanecía en la ventana, inmóvil, como vigilando y esperando. Fue la misma confianza de que podía desafiarlo ahora, así como la positiva certeza, en aquel momento, de que el niño no se daba cuenta, lo que me hizo preguntar:

—¿Por qué la tomaste?

—Para ver qué decía de mí.

—Entonces, ¿la abriste?

—Sí, la abrí.

Mis ojos estaban fijos ahora, mientras lo mantenía un poco apartado de mí, en el rostro de Miles, en el que había desaparecido todo asomo de burla y mostraba todos los estragos de la inquietud. Pero lo más prodigioso era que al final, con mi éxito, los sentidos habían quedado sellados y su comunicación con aquel truhán parecía haberse suspendido; él sabía que estaba en presencia de algo, pero no sabía de qué, y todavía sabía menos que yo también lo estaba y que yo sí lo sabía. ¿Pero qué importó todo eso cuando mis ojos fueron de nuevo a la ventana, sólo para ver que el aire estaba limpio de nuevo y que —gracias a mi triunfo personal— la influencia había desaparecido? No había nada ahí, y yo sentí que era por mi causa, y que después seguramente iba a saberlo *todo*.

—¡Pero no encontraste nada en la carta! —dije con alegría.

Agitó la cabeza en forma pesarosa y pensativa.

—Nada.

—¡Nada, nada! —grité casi con júbilo.

—Nada, nada —repitió tristemente.

Besé su frente, que estaba empapada en sudor.

—¿Qué has hecho con ella?

—La quemé.

—¿Quemado? —era ahora o nunca—¿Eso es lo que hacías en la escuela?

Mi pregunta causó una fuerte conmoción en el niño.

—¿En la escuela?

—¿Tomabas cartas?..., ¿o tal vez otras cosas?

—¿Otras cosas? —Ahora parecía estar pensando en algo muy lejano y que había llegado a él a través de la presión de su ansiedad—... ¿Qué si las robaba?

Me sentí enrojecer hasta la raíz de los cabellos al tiempo que me preguntaba si era correcto plantear una pregunta así a un caballero.

—¿Era por eso por lo que no podías volver?

Lo único que expresó entonces fue una penosa, aunque pequeña sorpresa.

—¿Sabía usted que no podía volver?

—Yo lo sé todo.

Ante esto me dirigió la más larga y extraña de las miradas.

—¿Todo?

—Sí, todo..., ¿entonces? —pero no pude decirlo de nuevo.

Miles sí pudo, y de una forma muy simple.

—No, yo no robé.

Mi rostro debió de mostrarle que le creía por completo; pero mis manos —aunque sólo fuera por pura ternura—lo sacudieron como preguntándole por qué, si no había hecho nada, me había condenado a esos meses de tortura.

—Entonces, ¿qué es lo que hacías?

Miró hacia el techo de la habitación con un aire de abatimiento, después contuvo el aliento y lo expulsó dos o tres veces, como si tuviera dificultad para respirar. Era como si hubiera estado en el fondo del mar y alzara los ojos hacia alguna débil luminosidad verdosa.

—Bueno, decía cosas.

—¿Sólo eso?

—¡Ellos creyeron que era suficiente!

—¿Para expulsarte?

¡Realmente nunca una persona "expulsada" había hecho menos para disculparse como lo hizo Miles aquella ocasión! Pareció sopesar mi pregunta, pero de una manera más bien entregada y casi impotente.

—Bueno, supongo que no debí hacerlo.

—Pero, ¿a quién se las decías?

Evidentemente intentaba recordar, pero tal parece que sinceramente lo había olvidado.

—¡No lo sé!

En la angustia de su rendición casi me sonrió, y su sonrisa era tan luminosa que en otra ocasión yo hubiera dejado ahí las cosas, pero me sentía tan envanecida por mis triunfos, cegada por la victoria, que me decidí a seguir adelante, aunque el efecto de mi presión era una forma de separación.

—¿Se las decías a todos?

—No, sólo a... —pero sacudió tristemente la cabeza —. ¡No recuerdo sus nombres!

—Entonces, ¿eran muchos?

—No, sólo unos pocos. Aquellos que me gustaban.

¿Aquellos que le gustaban? Yo parecía estar flotando, pero no en la claridad, sino en medio de una creciente oscuridad; pero al cabo de un minuto se me ocurrió, por consecuencia de mi propia piedad, la abrumadora alarma de que quizá fuera realmente inocente. Por el momento me sentía confusa y perdida, porque si él era inocente, ¿qué era yo entonces?; paralizada, mientras duró el roce de mi propia pregunta, lo solté un poco, con lo que él suspiró aliviado y entonces se apartó un poco de mí y se volvió hacia la ventana, a lo que yo no me opuse, pues ya no había nada ahí que pudiera dañarlo.

—¿Y ellos repitieron lo que tú les decías? —seguí después de un momento.

Pronto estuvo a una cierta distancia de mí, todavía jadeando y de nuevo con el aspecto, aunque sin furia, de hallarse confinado contra su voluntad. Una vez más, como había hecho antes, alzó la vista hacia la semioscuridad, como si, de todo lo que hasta entonces lo había sostenido, no quedara más que una inexpresable ansiedad.

—Oh, sí —me confesó— seguramente lo repitieron. Sobre todo aquellos que les gustaban —añadió.

De alguna forma, era algo menos de lo que había esperado, pero insistí.

—¿Y esas cosas llegaron a los...?

—¿A los maestros?, ¡Oh, sí! —respondió con toda naturalidad—. Pero yo no sabía que ellos lo hubieran dicho.

—¿Los maestros? No lo hicieron..., nunca lo dijeron. Por eso te lo pregunto.

Volvió hacia mí su hermoso y febril rostro.

—Sí..., era demasiado malo.

—¿Demasiado malo?

—Lo que supongo que dije a veces. Yo creo que era suficiente como para escribir a casa.

No puedo expresar el exquisito patetismo de la contradicción entre aquellas palabras y quien las pronunciaba; sólo sé que al momento siguiente me oí a mí misma exclamar con fuerza:

—¡Tonterías y estupideces! —Pero lo que dije a continuación debió sonar mucho más severo——. ¿Cuáles eran esas cosas?

En realidad, mi severidad iba dirigida a sus jueces y a su ejecutor; pero le hizo apartarse de nuevo, y esa maniobra hizo que yo, con un solo movimiento y un solo grito, saltara sobre él, porque ahí de nuevo, contra el cristal, como para frustrar su confesión e impedir su respuesta, estaba otra vez el terrible autor de nuestra desgracia, el blanco rostro de la condenación. Sentí un terrible vértigo ante el desmoronamiento de mi victoria y la vuelta de mi batalla, hasta el punto de que toda mi energía del salto solamente sirvió para traicionarme. Yo lo vi, en medio mismo de mi salto, imaginar algo, y en la convicción de que incluso ahora solamente adivinaba las cosas y que la ventana estaba todavía vacía a sus ojos, dejé que el impulso llameara para convertir el clímax de su desánimo en la verdadera prueba de su liberación.

—¡No más, basta ya! —le grité a mi visitante mientras intentaba apretar al niño contra mí.

—¿Está ella aquí? —dijo Miles en un jadeo, mientras trataba de mirar en la dirección de mis palabras; aquella extraña pregunta respecto de "ella", me hizo temblar y él repitió como un eco: "¡la señorita Jessel!, ¡la señorita Jessel!", entonces él me empujó hacia atrás con una repentina furia.

Comprendí, estupefacta, lo que ya suponía, aquello era alguna secuela de lo que habíamos hecho con Flora, pero eso no hizo más que hacerme desear mostrarle que se trataba de otra cosa.

—¡No es la señorita Jessel, pero está en la ventana, justo frente a nosotros! ¡Está aquí..., ese cobarde horror; aquí por última vez!

Ante aquello, tras un segundo en el que agitó la cabeza como un perro desconcertado tras haber perdido un rastro, se vio sacudido por un estremecimiento y se lanzó hacia mí con una furia feroz, desconcertado, mirando a su alrededor y sin poder ver nada, pese a que ahora, para mis sentidos, su enorme y abrumadora presencia llenaba toda la habitación como el aroma de un veneno.

—¿Es *él*?

Yo estaba tan decidida a obtener toda mi prueba que me convertí en hielo para desafiarlo

—¿A quién te refieres por "él"?

—¡A Peter Quint..., diablesa! —Su rostro volvió a escrutar toda la habitación y dijo como una súplica—. *¿Dónde?*

Todavía resuena en mis oídos aquella mención del nombre y su tributo a mi devoción.

—¿Qué importa ahora, cariño...?, ¿y qué importará nunca? ¡Te tengo! —le grité a la bestia—, pero él te ha perdido para siempre!—Luego, para demostrar lo que había conseguido—: ¡Aquí, *aquí*! —le dije a Miles.

Pero él ya se había dado la vuelta con una sacudida, miraba de nuevo con ojos fijos y no veía más que el tranquilo día. Con el impacto de la pérdida de la que yo estaba tan orgullosa dejó escapar el grito de una criatura lanzada al abismo, y la forma en la que lo sujeté bien hubiera podido ser para atraparlo en su caída. Entonces verdaderamente lo retuve..., se pueden imaginar con qué pasión; pero al cabo de un instante comprendí qué era realmente lo que sostenía. Estábamos solos en el tranquilo día y su pequeño corazón, desposeído, había dejado de latir.

TÍTULOS DE ESTA COLECCIÓN

Impreso en los talleres
de Gráficas La Prensa, S.A. de C.V.
Prolongación de Pino No. 577
Col. Arenal 02980 México, D.F.